PAR LES ROUTES

SYLVAIN PRUDHOMME

Par les routes

roman

l'arbalète gallimard

l'arbalète

collection dirigée par

Thomas Simonnet

Le temps va et vient et vire
Par jours par mois et par années.
Moi je ne sais plus que dire :
J'ai toujours même désir.

BERNARD DE VENTADOUR

1

J'ai retrouvé l'autostoppeur il y a six ou sept ans, dans une petite ville du sud-est de la France, après plus de quinze années pendant lesquelles, sans tout à fait l'oublier (l'autostoppeur n'est pas le genre d'hommes qu'on oublie), j'avais du moins cessé de penser à lui aussi souvent que par le passé. Je l'appelle l'autostoppeur car c'est ainsi, affublé de ce surnom qui n'aura jamais existé que pour moi, dans mes adresses intérieures à lui, sans qu'il en sache rien, qu'il n'aura cessé de m'apparaître, tout au long des années où je l'aurai côtoyé, tout au long de celles aussi où, éloignés l'un de l'autre, j'aurai pourtant continué de me le rappeler de loin en loin comme un repère – les marins ont un mot que j'aime pour cela, dans lequel on peut entendre ce qu'il faut d'ambiguïté, même si eux n'y attachent rien d'inquiétant : un amer.

Je venais d'emménager à V. lorsque j'ai appris qu'il vivait là lui aussi.

J'avais quitté Paris pour entamer une nouvelle vie. De toutes mes forces, je souhaitais changer d'air. Destruction,

9

reconstruction : c'était mon programme pour les jours et peut-être les années à venir.

J'allais avoir quarante ans. Depuis des années j'écrivais des livres. À Paris je travaillais chez moi, je sortais, je rentrais travailler. J'allais aux choses, les choses venaient à moi. Je rencontrais des gens. Certains me devenaient chers. Je tombais amoureux. Je cessais de l'être. Je ne sais pas si la pente naturelle de la vie est d'être seul d'abord, indépendant, nomade, puis peu à peu de se lier davantage, de se fixer, de fonder une famille. Si c'est le cas je régressais. J'allais de moins en moins loin. Mes histoires d'amour s'écourtaient. Se raréfiaient. J'étais moins supportable qu'avant. Ou peut-être était-ce moi qui avec le temps devenais moins patient, moins capable de prendre soin des autres.

Étais-je devenu négligent. Était-ce simplement que l'amour m'intéressait moins.

L'esseulement ne m'effrayait pas. J'ai toujours eu, dans la solitude, d'intenses moments de joie, qui alternent bien sûr avec d'intenses moments de tristesse, mais tout de même : je suis d'une nature globalement disposée au bonheur.

J'aime et redoute à la fois l'idée qu'il existe une ligne d'ombre. Une frontière invisible qu'on passe, vers le milieu de la vie, au-delà de laquelle on ne *devient* plus : simplement on *est*. Fini les promesses. Fini les spéculations sur ce qu'on osera ou n'osera pas demain. Le terrain qu'on avait en soi la ressource d'explorer, l'envergure de monde qu'on était capable d'embrasser, on les a reconnus désormais. La moitié de notre terme est passée. La moitié de notre existence est là, en arrière, déroulée, racontant qui nous sommes, qui nous avons été jusqu'à présent, ce que nous avons été capables de risquer ou non, ce qui nous a peinés, ce qui nous a réjouis. Nous pouvons encore nous jurer que la mue n'est pas achevée, que demain nous serons un autre, que celui ou celle que nous sommes vraiment reste à venir – c'est de plus en plus difficile à croire, et même si cela advenait, l'espérance de vie de ce nouvel être va s'amenuisant chaque jour, cependant que croît l'âge de l'ancien, celui que nous aurons de toute façon été pendant des années, quoi qu'il arrive maintenant.

À V. je comptais mener une vie calme. Ramassée. Studieuse. Je rêvais de repos. De lumière. D'une existence plus vraie. Je rêvais d'élan. De fluidité. D'un livre qui viendrait d'un coup, en quelques semaines à peine. D'une fulgurance qui soudain serait là, récompense de mois de patience. J'étais prêt à l'attendre. J'aime l'idée du labeur. J'ai de l'admiration pour cela : l'obstination, l'entêtement, l'endurance.

J'avais choisi V. parce que la ville était petite. Parce qu'on la disait belle, agréable à vivre. Parce que je n'y avais que deux ou trois connaissances dont la fréquentation me serait agréable, sans trop me coûter : un cousin, prof au lycée, que j'aimais sans l'avoir jamais beaucoup vu. Des amis d'amis que rien ne m'obligeait à voir.

Je me rappelais deux ou trois séjours que j'y avais faits, le temps d'un week-end, l'été, à une période où je savais bien que la ville, tout entière vouée au plaisir des estivants, ne montrait qu'un de ses visages, le plus attrayant, le plus facile. J'avais désiré voir l'autre. Celui des longues nuits d'hiver. Des ciels bleus et glaciaux de janvier. J'avais regardé les terrasses bondées, les façades aux fenêtres grandes ouvertes, et je m'étais demandé : et dans trois mois. Et quand tout le monde sera reparti. Quand il fera zéro et que la lumière tombera sur les places désertes et les cafés fermés.

J'avais eu envie de ce calme. Il m'avait semblé qu'à V. je saurais retrouver la concentration, l'ascèse qui depuis des années me manquaient. La juste dose d'isolement qui me permettrait enfin de me ramasser, de me reprendre, peut-être de renaître.

2

Plusieurs mois auraient pu passer sans que je rencontre l'autostoppeur – nulle loi n'oblige deux habitants d'une même ville, si petite soit-elle, à se croiser avant longtemps. Quelques heures à peine, pourtant, cela aura suffi. Je suis arrivé à la gare de V. vers midi, muni en tout et pour tout de deux sacs remplis de livres et de vêtements. Il faisait beau, c'était le début du mois de septembre. Les platanes commençaient à perdre leurs feuilles. Elles se détachaient une à une, tombaient comme de grands copeaux de bois, touchaient le sol avec un raclement sonore. Crissaient ensuite contre le bitume à chaque coup de vent.

J'ai marché jusque dans le centre-ville en longeant l'enceinte d'un collège d'où montaient les cris de la pause déjeuner. J'ai vu le propriétaire du meublé trouvé par internet. Nous avons fait l'état des lieux, constaté une ou deux fissures au plafond, réglé la question des virements mensuels, bu un verre à la terrasse la plus proche. Puis l'homme m'a remis les clés et je l'ai regardé disparaître au bout de la rue.

Je suis remonté dans l'immeuble. J'ai poussé la porte, contemplé mes nouveaux murs. Deux pièces dont le parquet, sur les photos mises en ligne, m'avait paru chaleureux. Deux pièces qui à présent me paraissaient surtout formidablement basses de plafond.

J'ai regardé les murs vert amande – c'est moi qui les ai peints, m'avait dit l'homme en m'accueillant, fier de raconter qu'il avait dû, pour obtenir ce vert et pas un autre, passer commande à une marque londonienne. J'ai regardé le lustre suspendu à hauteur de tête au-dessus de la table. Les moulures vieillies au plafond. Les rideaux lourds. Le vieux canapé avachi dans un renfoncement du mur, loin de l'unique fenêtre.

J'ai pensé : me voici redevenu étudiant.

J'ai souri.

J'ai posé mes affaires dans un coin, entrepris un rapide ménage, donné bien plus vite qu'autrefois les coups de fil d'usage, électricité, gaz, connexion internet.

Je suis allé faire trois courses, café, pâtes, huile d'olive, vin.

Je suis revenu. J'ai à nouveau regardé les murs immobiles, les rideaux immobiles, le lustre et la table immobiles. J'ai senti le bloc de silence entre les murs. J'ai écouté crisser le parquet sous mes pas. J'ai posé les courses près de l'évier. J'ai jubilé de faire ce geste : poser les courses sur le plan de travail d'une nouvelle cuisine. J'ai écouté la bouteille d'huile d'olive au fond du sac taper doucement contre le plan de travail. J'ai reconnu ce bruit familier, le choc du sac de courses contre le bois d'une cuisine. Ma cuisine.

J'ai pensé : je vais être bien ici.

J'ai fouillé dans le tiroir pour y attraper un couteau. J'ai pelé plusieurs gousses d'ail, les ai hachées, mises à dorer dans de l'huile. L'odeur est montée. J'ai fait cuire les pâtes, les ai égouttées, versées dans la poêle avec l'ail et l'huile. J'ai regardé leurs longues tresses se tordre. J'ai attendu qu'elles grillent, que l'huile et l'ail les imprègnent à cœur, qu'elles deviennent craquantes comme des brindilles.

J'ai poussé la table contre la fenêtre. Je me suis assis. J'ai mangé. J'ai raclé jusqu'au dernier bout d'ail frit au fond de la poêle. J'ai mis du café à chauffer.

Puis sans tarder j'ai commencé à travailler.

Que ma nouvelle vie n'attende pas.

Je suis resté devant mon ordinateur jusqu'au soir, affûté, tendu, heureux.

J'ai pensé : ici le temps sera plein. Ici chaque semaine sera comme un mois.

Vers 18 heures j'ai reçu un coup de fil de Julien, mon cousin, à qui j'avais dit que j'arrivais ce jour-là. Il m'a offert de venir à une fête qui avait lieu chez lui.

J'ai pensé : non.

Non pas déjà.

J'ai dit oui.

Je me suis remis au travail.

15

Vers 21 heures j'ai pris une douche, attrapé à la cuisine la bouteille de vin que je venais d'acheter.

Dehors j'ai trouvé la nuit de septembre presque tombée déjà, les rues désertes, quelques restaurants seulement ouverts encore. Le vent avait forci, il faisait froid. J'ai regardé les magasins aux rideaux baissés, les maisons aux fenêtres allumées çà et là, les reflets bleus et verts d'un téléviseur au plafond d'un premier étage. Par le carreau d'un rez-de-chaussée j'ai vu une famille attablée à dîner.

Je suis arrivé devant une maison tout entière allumée. Par les fenêtres j'ai vu des silhouettes debout dans la cuisine et le salon, j'ai entendu la sono à fond. Mon cousin Julien est venu m'ouvrir.

Sacha.

Il m'a embrassé.

Alors c'est pour de vrai t'es là.

Il m'a entraîné jusqu'au salon, m'a présenté sa compagne Anissa. Il a baissé la musique pour lancer joyeusement mon nom à la cantonade.

Mon cousin Sacha. Vous avez intérêt à lui faire bon accueil.

Avant d'avoir eu le temps de décider quoi que ce soit, je me suis retrouvé un verre de rouge à la main, à bavarder avec Anissa et Jeanne, une collègue de lycée de Julien. Je leur ai raconté ma première journée dans la ville, mon arrivée à la gare avec mes deux sacs de livres et de vêtements. Mon deux-pièces aux murs verts. Mes pâtes à l'ail grillées à la poêle.

Elles ont ri.

On t'invitera de temps en temps pour te changer des pâtes, a dit Anissa.

J'ai vu que Jeanne se rapprochait, que le récit de cette arrivée solitaire l'amusait. J'ai deviné qu'elle aussi vivait seule. Anissa nous a laissés. Jeanne m'a raconté son arrivée dans la ville, quatre ou cinq ans plus tôt, après un premier poste du côté de Brest. Je lui ai dit ce qui m'amenait là. Mon envie de table rase. De concentration. De calme.

Nous avons vidé puis à nouveau rempli nos verres.

Elle m'a demandé sur quoi portait le livre que je projetais d'écrire.

Et puis que s'est-il passé dans sa tête. Qu'ai-je dit pour que cette pensée lui vienne.

Oh mais il y a quelqu'un à V. qu'il faut te présenter. Quelqu'un avec qui tu es fait pour t'entendre c'est sûr. Il est amusant un peu fou tu verras il aime les livres lui aussi. Il s'est installé à V. il y a quatre ans peut-être.

À quoi ai-je deviné que c'était lui. Est-ce ce qualificatif d'un peu fou. La mention de cette installation récente.

J'ai senti le sang battre dans mes veines.

Il faut que vous vous rencontriez vous allez faire la paire c'est sûr, a continué Jeanne.

Et alors elle a dit son nom.

Je suis resté le plus impassible que j'ai pu. Elle n'a rien vu. N'a pas deviné une seconde le trouble qu'elle jetait en moi.

Il faut que tu les rencontres tous les deux. Sa compagne et lui. Tous les trois. Ils ont un petit garçon. Ils sont super.

Je n'ai rien dit. J'ai laissé descendre en moi ces nouvelles. L'autostoppeur ici, tout près. L'autostoppeur en couple. Père d'un enfant.

À ce moment Julien a surgi.

Cousin est-ce que ça va est-ce qu'on s'occupe bien de toi.

Il a vu Jeanne à côté de moi. Il a sorti un paquet de cigarettes, m'a demandé si quelqu'un m'avait montré la terrasse. Nous sommes montés tous les trois par un petit escalier raide, avons passé le premier étage, le deuxième, sommes ressortis dans la nuit, tout en haut.

De la terrasse nous avons regardé les toits des maisons voisines, les branches d'un platane tout proche, les étoiles au-dessus de nos têtes, l'eau noire du fleuve.

Vous devez être bien ici, j'ai dit à Julien après un silence.

Il a acquiescé doucement.

Toi aussi tu vas te plaire à V. tu vas voir.

Allez à toi Sacha, a dit Jeanne en levant son verre. À ton arrivée ici.

Nous avons trinqué tous les trois.

J'ai regardé la lune au-dessus des toits. Écouté les bruits de la fête au rez-de-chaussée.

J'ai pensé à l'autostoppeur. À cette fable qui m'était un jour revenue, juste avant que je lui demande de sortir de ma vie : le pot de fer qui ne veut pas de mal au pot de terre, qui lui veut même sincèrement du bien, et qui pourtant, d'un faux mouvement, le réduit en miettes. Le pot de terre qui un jour, d'avoir trop frayé avec le pot de fer, se brise.

Il y a deux options face au destin: s'épuiser à lutter contre. Ou lui céder. L'accepter joyeusement, gravement, comme on plonge d'une falaise. Pour le meilleur et pour le pire.

Ainsi soit-il, disent plus ou moins toutes les religions, et dans cet assentiment il y a une force qui m'a toujours fasciné.

Amen.

Amine.

Puisqu'il le faut.

Puisqu'il doit de toute façon en être ainsi.

3

Je l'ai appelé dès le lendemain matin. Au téléphone il y a eu un blanc.

Sacha.

Je lui ai dit que j'étais là. Que je venais de m'installer à V.

Il a laissé passer un temps.

Toi ici c'est fou.

Nous sommes restés sans rien dire, à attendre tous les deux. Nous ne nous étions plus vus, plus adressé un mot depuis près de vingt ans.

Viens, il a dit simplement.

Qu'est-ce que tu dis.

Viens tout de suite. Passe à la maison. Pourquoi attendre.

Sa voix n'avait pas changé. Malgré la surprise il était calme.

Viens Marie et Agustín sont là, c'est dimanche, tu verras tout le monde.

J'ai reposé mon téléphone sur un tabouret. Regardé

les murs verts autour de moi. J'ai pensé qu'il me faudrait acheter des chaises. Que les deux qui étaient là ne pourraient pas suffire longtemps, si solitaire soit ma nouvelle vie.

J'ai regardé la lumière du matin entrer par la fenêtre, tomber sur le parquet, y faire une grande tache dorée. J'ai regardé la poussière que je n'avais pas vue la veille, trop pressé de me mettre au travail. Je me suis baissé pour passer le doigt sur la plinthe. Le bout de mon index s'est couvert d'une taie noire. J'ai trouvé un aspirateur dans le petit cagibi aménagé sous la cage d'escalier. Je suis descendu acheter de l'eau de javel, du produit à vitres, de nouveaux sacs pour l'aspirateur, des éponges, une serpillière. J'ai aspiré. J'ai récuré. J'ai frotté. J'ai rincé. L'appartement s'est mis à sentir le propre.

J'ai jeté un regard à mon ordinateur ouvert depuis la veille sur la table.

J'ai pensé que je travaillerais plus tard.

Par la fenêtre à nouveau propre j'ai observé l'appartement d'en face, fenêtres ouvertes sur un petit bureau en coin, murs blancs, rayonnages garnis de livres.

J'ai pensé que ce devait être une pièce où il faisait bon travailler. Que les voisins d'en face devaient être agréables, pour aimer ainsi les livres.

Je me suis fait du café. L'odeur de la cafetière s'est mêlée à celle de la javel. Je me suis demandé si une réaction chimique allait s'ensuivre. Si l'odeur de javel avait le pouvoir de faire virer le goût du café. J'ai versé le café dans une grande tasse, je l'ai approché de mes lèvres.

Je lui ai trouvé un goût étrange. J'en ai bu une deuxième gorgée, puis une troisième. Je n'ai plus senti la javel.

J'ai ouvert mes deux sacs, attrapé mes vêtements, deux jeans, trois tee-shirts, une chemise, quelques caleçons et paires de chaussettes en tout et pour tout. Je les ai posés sur l'unique étagère de l'appartement, bien en vue. Prêts à l'usage comme je fais lorsque je passe plusieurs jours dans un lieu étranger, maison d'amis ou chambre d'hôtel. J'ai savouré cette réduction de ma garde-robe à l'essentiel. J'y ai vu un signe que j'étais sur la bonne voie. En route pour la vie que je voulais. Ramassée. Sobre. Dense.

J'ai replongé dans mes sacs, j'en ai sorti la vingtaine de livres emportés avec moi. *Corrections* de Thomas Bernhard. *Abrégé d'histoire de la littérature portative* de Vila-Matas. *Les Géorgiques* de Claude Simon, le livre le plus plein jamais écrit, ai-je toujours pensé, le plus densément vivant, bourré jusqu'à saturation de trains immobiles dans l'hiver et de déflagrations d'obus et de champs de blé ondoyants et d'heures d'attente nocturnes sur des chevaux raidis par le gel. *El coronel no tiene quien le escriba* de García Márquez, où un vieil homme tombé dans la misère attend, attend toujours une pension de vétéran qui ne vient pas – et en attendant préfère crever de faim plutôt que de renoncer à la seule fierté qui lui reste : son coq de combat. *Pour un Malherbe* de Francis Ponge, qu'il me suffit de reparcourir les jours de découragement pour me sentir revigoré, rempli de décision, de foi : « Nous sommes allés à la mer (13 kilomètres de Caen) : nous avons constaté son humeur forte et amère, et comme les plantes des dunes résistent en colère contre le vent, accrochées pourtant en nulle autre part que dans le sable. Nous sommes à la fois la mer et les dunes, et bien capable d'en faire autant. Nous profiterons de notre colère des Ier et 2 octobre pour trouver le ton nécessaire à prendre la parole et à la garder. Nous, perdu dans la foule. Nous qui voyageons en troisième. Nous qui ne savons comment vivre, et qui n'avons pas le goût de la bohème. »

Je les ai posés un à un sur l'étagère, à hauteur de regard, bien en évidence. Qu'à chaque passage devant l'étagère ils me frappent de toute leur force de rappel, de piqûre, d'injonction à l'exigence et au travail.

J'ai fini de vider mes sacs. J'ai regardé la totalité de mes possessions étalées devant moi dans la lumière, ordonnées, prêtes à l'emploi, volontairement réduites à l'exact nécessaire, pareilles aux instruments d'un chirurgien avant l'opération. J'ai pensé : on voit mieux dans le peu. On vit mieux. On se déplace mieux, on conçoit mieux, on décide mieux. J'ai savouré la pensée que ma vie était là désormais. Le fatras de mes quarante années d'existence réduit à cette somme d'objets sur une étagère.

J'ai attrapé la carte de France que j'emporte partout, je l'ai punaisée au mur. J'ai refait sur la carte le chemin parcouru la veille en train, Paris à la convergence de toutes les routes, la vallée du Rhône descendue, les zones de vert, de jaune et d'orange fendues en quelques heures à peine à bord du TGV, jusqu'au point isolé de V.

J'ai pensé : maintenant tu y es. Ce minuscule point de la carte tu l'habites. Quelque part dans le noir de ce point appelé V., il y a le point infiniment plus petit encore de ton corps à toi.

Et puis m'est venue cette autre pensée : quelque part dans ce point, il y a aussi le point du corps de l'auto-stoppeur. J'ai laissé mon regard balayer le reste de la carte, embrasser les zones entières de vide, errer parmi les milliers d'autres points où nous aurions pu l'un et l'autre décider d'aller vivre. J'ai pensé que c'était fou. Qu'il fallait un hasard extraordinaire pour que nous nous retrouvions là tous les deux. Ou peut-être autre chose qu'un hasard. Je me suis mis à la place de l'auto-stoppeur. J'ai pensé ce qu'il avait dû penser en apprenant que j'étais là. Ce qu'il était impensable qu'il n'ait pas pensé : que je venais le chercher. Que ce déménagement je le faisais *pour lui*.

J'ai pensé à Lee Oswald déballant son fusil au dernier étage de l'immeuble d'où il va tirer sur Kennedy. À tous les tueurs à gages dans les heures qui précèdent le meurtre qu'ils vont commettre. À leur calme. À la précision de leurs gestes. Au soin mis à choisir leur poste d'affût. À ordonner leurs affaires. À tout préparer pour que, le moment venu, *les choses se passent au mieux*.

Vis, me disait toujours l'autostoppeur. Vis et après tu écriras.

Ne laisse pas passer cette belle journée de soleil, chaque fois qu'il me voyait devant mon ordinateur. Ou si par gentillesse il ne le disait pas je comprenais qu'il le pensait. Et ses actes aussi me le disaient. La baignade qu'il allait faire et pas moi. La promenade dont il revenait et pas moi. Les inconnus qu'il rencontrait au bar et pas moi. J'ai bu la fin de mon café. Sur l'étagère j'ai aperçu un volume fourré au dernier moment dans mon sac. Un petit livre retrouvé juste avant mon départ, à la faveur des journées passées à vider les étagères de ma petite chambre parisienne, dont le titre disait : *Autostop! Guide pratique et humoristique de l'autostoppeur.* Je l'ai attrapé sur l'étagère. J'en ai feuilleté les premières pages. Texte d'Yves-Guy Bergès, dessins de Sempé. Je me suis rappelé le bouquiniste auquel je l'avais acheté, vingt ans plus tôt, sous la halle d'un square du sud de Paris. Je me suis revu ce trophée à la main, le montrant à l'autostoppeur. Je me suis rappelé l'accueil qu'il avait fait au livre. Le sourire qu'il avait eu, du haut de ses vingt ans.

Un livre sur le stop. Et pourquoi pas un livre sur la bonne façon de marcher. Un livre sur la bonne façon de s'allonger pour s'endormir.

Je me suis mis à le feuilleter. J'en ai admiré le savoureux exergue : «À la SNCF, en témoignage d'estime et de sympathie.» J'ai laissé mes yeux errer au gré des pages, attraper ici et là un passage : «J'affirme qu'en ce qui me concerne, j'adore les automobilistes. J'en ai dans ma vie consommé plus de trois mille.» J'ai découvert l'histoire du Pouce, association parisienne qui à la fin des années 1950 avait conçu le louable projet de faciliter, par un système de petites annonces, les arrangements entre autostoppeurs et automobilistes – un ancêtre des sites de covoiturage actuels, ni plus ni moins.

J'ai senti ma honte se déplacer, changer d'objet. Ma honte passée faire place à une honte présente : celle d'avoir rougi jadis de ce livre pourtant bon. D'avoir à ce point craint le jugement de l'autostoppeur. Je me suis demandé si aujourd'hui il ne serait pas le premier à l'aimer.

J'ai pris le livre sous le bras. Je suis sorti.

4

Dehors la place était déserte. Les tables métalliques du bar de la Fontaine brillaient. Des feuilles de platanes jonchaient le béton, aplaties par la pluie de la nuit, réduites à du carton mouillé, sourd sous la semelle. Il faisait frais, c'était bon. Sur les accoudoirs des fauteuils en alu, les gouttes brillaient. Le tissu des parasols refermés pantelait. Les nuages étaient blancs. La lumière rebondissait, irradiait de partout à la fois. Les plaques d'égout luisaient. Les troncs des platanes étaient sombres, les bornes rincées par la grande lessive de l'automne.

J'ai descendu la rue. Je suis passé devant les boutiques fermées. J'ai reconnu au loin la vie matinale de la boulangerie, les allées et venues entre les baies coulissantes, le ballet des clients bras chargés de baguettes et de croissants. Je suis entré dans l'air chaud et odorant. J'ai acheté une fougasse aux olives. J'ai tenu la raquette de pâte légère et vaste devant moi. J'ai senti son odeur grasse, presque écœurante. Observé les milliers de feuilles de thym incrustées dans la pâte, les taches d'olives noires écrasées, presque confites. Le papier brun imbibé d'huile déjà.

Je suis arrivé devant la maison de l'autostoppeur. J'ai vu la petite rue plus que modeste. L'école maternelle en face. La porte d'entrée de la maison, en bois, doublée d'une grille peu engageante. J'ai sonné. La porte s'est ouverte. Une tête d'enfant a surgi. Huit ans peut-être. Ou neuf, je n'ai jamais été très fort pour deviner l'âge des enfants. Cheveux noirs. Yeux noirs, comme son père. J'ai voulu tirer la grille encore fermée. Nous sommes restés, le gamin et moi, à nous dévisager de chaque côté des barreaux métalliques.

Salut toi.

Salut.

Tu t'appelles comment.

Agustín. Et toi.

Sacha.

Le gosse s'est retourné, a appelé son père.

J'ai vu la silhouette de l'autostoppeur approcher dans le couloir. Son visage me sourire.

Il a montré la grille.

On n'est toujours pas sortis ce matin, désolé.

Il a fait deux tours dans la serrure. J'ai eu le temps de le regarder. De bien voir son visage. Sa tête un peu vieillie seulement. Ses traits imperceptiblement creusés. Plus virils. Pommettes et arêtes du nez plus saillantes. Front plus large. L'air plus homme. Vêtu sans façons, comme il s'était toujours vêtu, jean simple, pull à col boutonné, élégance sobre.

Salut Sacha. Entre.

Le gamin a grimpé à mi-hauteur de la grille, s'est amusé à la faire aller et venir sur ses gonds, de la porte au mur, et aller-retour.

Allez Agustín viens.

L'enfant a fait comme s'il n'entendait pas.

Allez Agustín viens maintenant.

Cette fois il est venu, et l'autostoppeur a posé une main dans ses cheveux en le regardant se faufiler entre nous pour retourner jouer dans le salon.

Il a coulé de l'eau sous les ponts hein.

J'ai laissé mes yeux se promener au hasard des dessins punaisés au mur. Certains d'enfants, dragons, volcans, mondes souterrains grouillants de tunnels, d'échelles de corde, de grottes. D'autres d'adultes. Je me suis arrêté devant une araignée tracée à l'encre de Chine sur les pages d'un livre aux caractères serrés.

Et toi pas d'enfants.

J'ai haussé les épaules avec un sourire.

Pas d'enfants, pas de vrai amour depuis un moment.

La loose.

Il a ri.

Viens je vais te présenter Marie.

Il m'a conduit jusqu'à la cuisine. Là, par les carreaux, j'ai vu le jardin. Les vieux murs en pierre. Les deux cyprès. Le feuillage sombre d'un grand laurier. La boule de deux grands rosiers blancs près de la fenêtre, ébouriffés par la pluie, pétales remplis de gouttes d'eau, feuilles brillantes.

29

C'est beau, j'ai dit.

C'était comme ça quand on est arrivés. La précédente locataire était folle de plantes.

J'ai compris qu'il disait cela pour que j'entende ce mot: locataire. Que je ne me méprenne pas.

Il s'est avancé dans le jardin de quelques pas, a levé la tête vers la fenêtre au-dessus de nous. J'ai suivi son regard et vu Marie, assise au premier étage, à un petit bureau devant la fenêtre.

Marie je te présente Sacha.

Marie a baissé l'écran de son ordinateur pour se pencher vers nous par la fenêtre. Elle m'a souri.

Salut Sacha. Faites-vous un café j'arrive, j'ai presque fini. Un petit quart d'heure à peine.

Un café ou une balade, a proposé l'autostoppeur en regardant le ciel. Ça se lève on dirait. Si on sortait se promener. Agustín ça te dit qu'on montre la roubine à Sacha.

Le gamin a mis ses chaussures, nous sommes sortis tous les trois.

Par les petites rues nous avons marché jusqu'au boulevard, sommes passés sous les voies ferrées, avons continué de l'autre côté le long d'un petit canal, dans un quartier de pavillons déjà anciens, la plupart bordés de jardins aux arbres déjà hauts.

Peu à peu les maisons se sont espacées. Nous avons longé un terrain de foot, sommes sortis de la ville. Le canal s'est élargi. Le petit chemin a cessé d'être bétonné. Sous nos pieds les gravillons ont laissé place à des herbes sauvages, de la terre, quelques flaques boueuses. Alentour le paysage s'est ouvert. Jardins. Vergers. Jachères que la ville un jour mangerait peut-être à leur tour.

En marchant Agustín a découvert une fourmilière, dérangée par la pluie tombée pendant la nuit. Il s'est penché dessus, a commencé à en fouiller l'entrée avec des brins d'herbe.

Tu te plais ici, j'ai demandé à l'autostoppeur comme nous avions pris une dizaine de mètres d'avance.

Il a acquiescé en regardant devant lui.

Dans l'ensemble oui.

Votre vie a l'air belle.

Il a dit oui.

Ça ne veut pas dire qu'il n'y a pas des fois où on étouffe, où on voudrait changer, partir, comme tout le monde. Mais dans l'ensemble on est bien.

À présent des roseaux couvraient l'eau du canal en contrebas. De grosses libellules allaient et venaient au ras de l'eau, se posaient un instant sur une tige grasse, redécollaient, leurs ailes bleues bourdonnant dans le silence. Une bouteille en plastique flottait çà et là parmi les plantes.

Nous avons regardé en arrière, aperçu Agustín chaussure tendue vers un point dans les herbes.

Qu'est-ce qu'il fabrique.

J'ai vu le gamin allonger le pied, l'approcher d'une plante, sursauter au bruit d'une explosion.

Qu'est-ce que c'est.

31

Des bombes à graines, a dit l'autostoppeur. Je sais pas leur nom, mais regarde comme c'est rigolo.

Il a repéré un bulbe bien gonflé, l'a effleuré de sa chaussure. Avec un bruit de pétard le petit sac a explosé, projetant ses graines au-dessus de nos têtes.

Il s'est marré.

T'as vu ça c'est dingue. Et encore il a plu. D'habitude ça claque plus fort.

Je l'ai regardé, gamin de bientôt quarante ans, continuant après toutes ces années à s'amuser inlassablement.

J'ai pensé qu'au fond je le retrouvais égal à lui-même. Locataire d'une maison et plus d'un appartement. Devenu père. Mais continuant de dégager le même air joyeusement impulsif, attachant et imprévisible à la fois.

Nous avons repris notre marche tous les trois. La ville s'est éloignée. L'odeur de terre, d'herbes détrempées s'est faite plus forte. En me retournant, j'ai vu les tours se dresser. Celle de l'archevêché. Celle de l'ancien lycée. Celle de la fondation en construction, rutilante, démesurée, à jamais là désormais.

J'ai senti qu'il hésitait.

J'ai lu ton dernier livre.

Cela dit d'un ton enjoué, sincèrement ami.

Mon sang s'est mis à battre, comme si j'attendais que s'abatte un couperet.

C'est beau. C'est très beau. J'ai adoré.

J'ai respiré. Je l'ai remercié. J'ai attendu pour voir s'il allait continuer. Ajouter un bémol qui en trois mots anéantirait la bienveillance de ce premier verdict.

Le bémol n'est pas venu.

Marie aussi l'a lu. On a tous tes romans je crois bien. On les guette quand ils sortent. Je me demande chaque fois comment tu fais. Moi écrire j'y arrive pas. Me mettre devant une table, rester des heures à taper sur un ordinateur, sortir tout ça de moi. À l'époque déjà, je me rappelle, je te regardais bosser pendant des heures sans te lever et je me disais : il est dingue. Je sentais que ça m'était inaccessible, que tout mon corps refusait ça. Je t'enviais.

J'ai secoué la tête pour protester. Au loin le moteur d'un tracteur s'est mis en marche. Nous l'avons regardé fendre un bout de plaine à l'horizon, buter par moments dans une rigole, repartir de plus belle, hanneton aux cahots erratiques.

Et toi, a dit l'autostoppeur.

Quoi moi.

Comment ça va toi. Est-ce que tu es heureux.

Je me suis senti désarmé. Incapable de répondre.

J'ai dit oui. Plutôt heureux je crois oui.

Je l'ai vu acquiescer. Se réjouir sincèrement pour moi. Comme si ma réponse lui suffisait. Comme s'il ne doutait pas qu'elle soit vraie.

C'est difficile d'être sûr je trouve, j'ai souri.

Oui c'est un peu con tous ces mots. Heureux malheureux. Je suis désolé.

C'est un peu con et en même temps parfois on sait.

Je suis d'accord avec toi, il a dit après un moment.

On sait.

J'ai vu que ma phrase le frappait. Qu'elle le renvoyait à lui, bien plus que je n'avais voulu.

Je me suis retourné, j'ai observé les tours de la ville loin en arrière à présent. Incroyablement loin, en vingt minutes de marche à peine.

Agustín a couru vers nous.

Papa, regarde.

Il a ouvert la paume de la main, montré un énorme criquet.

J'ai regardé l'insecte, ses pattes, son harnachement d'épines, d'antennes, d'élytres. Tout cela posé sur la paume de ce gamin de neuf ans, pas une seconde apeuré.

Je peux le ramener à la maison.

Tu fais ce que tu veux Agustín.

J'ai pensé que j'avais presque toujours entendu l'auto-stoppeur dire oui. Oui à tout. Aux invitations. Aux rencontres. J'ai pensé que le non était bon aussi. Que je n'aurais jamais pu écrire si j'avais toujours dit oui.

Il y a eu un silence. J'ai sorti de mon sac le manuel d'autostop.

Tiens. Je l'ai retrouvé sur une étagère en vidant mon appartement.

Il a attrapé le livre. S'est mis à le feuilleter. Il a souri de tomber sur un passage où l'auteur comparait l'autostop à la pêche à la ligne : « Même patience, même délicatesse dans le coup de poignet, même absence de brusquerie. Même joie dans les prises. »

Il a lu à voix haute : « Il existe des routes à Cadillac comme des rivières à brochets. »

Nous avons ri. Il a voulu me rendre le livre. J'ai repoussé sa main.

Garde-le c'est pour toi.

Tu es sûr.

Souvenir des fois où on est partis ensemble.

Il a remercié d'un hochement de tête.

Je me demande si ça marcherait encore aujourd'hui, tous ces trajets en stop.

Bien sûr ça marcherait, il a dit avec aplomb.

Et puis après un moment : Ça marche toujours.

J'ai regardé son visage pour comprendre ce qu'il voulait dire.

Tu continues d'en faire, j'ai demandé.

De temps en temps, il a dit d'un ton calme. Pas quand on part tous les trois évidemment, on a la voiture de Marie. Mais les fois où je m'en vais seul.

Il s'est retourné, a vu Agustín une bonne centaine de mètres en retard, appelé avec ses mains en porte-voix : Agustín ! Nous avons attendu que le gamin revienne dans notre sillage, voletant comme un moineau, s'arrêtant ici et là pour pêcher un caillou ou un escargot.

Nous nous sommes remis en marche. J'ai attendu qu'il poursuive de lui-même, certain que la conversation n'en resterait pas là.

Ça marche même mieux que jamais. Contrairement à ce qu'on pense les conditions n'ont jamais été aussi bonnes : véhicules plus nombreux, plus confortables, plus rapides. Disparition presque totale de la concurrence.

35

J'ai examiné son visage. Souri d'y lire la même malice qu'autrefois.

Le plus fou, c'est que même les conducteurs qui s'arrêtent pour me prendre en doutent. Je suis dans leur voiture et ils me demandent très sérieusement : Mais ça marche encore le stop ?

Il s'est baissé pour ramasser une coquille d'escargot vide, a soufflé dedans, l'a mise dans sa poche.

Et tu vas où, j'ai demandé. Quand tu pars c'est pour aller où.

Il a eu l'air d'hésiter.

En général je fais l'aller-retour à Paris. Ou à Lille. À Brest. À Besançon. J'essaie de varier.

Mais tu as des choses à faire là-bas chaque fois.

Pas forcément, il a dit en haussant les épaules. Parfois oui, parfois non. Je prends l'autoroute et je vais d'aire en aire. Je dis la vérité aux automobilistes : qu'en réalité je me fiche un peu d'arriver où que ce soit. Que peu m'importe Paris, ou Lille, ou Brest. Que je fais ça pour le plaisir.

Pour le plaisir.

J'imagine que ça doit être ça. Puisque j'y retourne. Puisque régulièrement ça me reprend : l'envie de repartir.

J'ai essayé de me le représenter, autostoppeur de quarante ans, sur les routes par goût, pouce tendu près des pompes à essence d'une aire d'autoroute de Champagne ou de Bourgogne.

Et quand tu leur dis ça ils répondent quoi.

Il y a ceux que ça amuse. Ceux qui pensent que je bluffe. Ceux qui me prennent pour un doux dérangé. Ceux qui se disent qu'ils ont affaire à un psychopathe, j'ai ri. Il y en a c'est vrai.

Nous nous sommes tus un instant.

Ils ne te demandent pas de descendre.

Je ne leur dis pas tout de suite. Je les laisse redémarrer. J'attends qu'ils aient quitté l'aire d'autoroute, reverrouillé les portes. Qu'ils soient de nouveau à 130 à l'heure, avec au-dehors les champs qui défilent, la rambarde qui court, les panneaux bleus qui plongent à la rencontre de la voiture. Alors je leur dis la vérité. Que je suis surtout venu les voir eux. En général il y a un blanc. Je les vois qui regardent sur leur GPS la durée de trajet restante, qui guettent les panneaux kilométriques indiquant la prochaine sortie. J'essaie de les rassurer. Je leur dis que je les trouve admirables de m'avoir pris. Que pour moi c'est le critère suprême de l'hospitalité : être capable d'ouvrir sa portière au parfait inconnu. Ne pas craindre de se retrouver soudain à 30 centimètres d'un étranger dont ils ignorent s'il sera agréable, s'il partagera leurs idées, s'il sentira bon, si la présence de ses 70 kg assis là, sur le siège passager, seulement séparés d'eux par la tige du frein à main, leur sera plaisante ou les importunera. Je leur dis que je veux rencontrer un maximum de gens comme eux, capables de ce geste-là.

À présent Agustín s'était rapproché de nous, attiré par la discussion. Il marchait tout près, tendant l'oreille.

L'autostoppeur a sorti la coquille d'escargot de sa poche, la lui a donnée. Agustín l'a prise dans sa paume sans dire un mot. Je me suis demandé si l'autostoppeur cherchait à faire diversion. S'il voulait éviter de continuer à parler devant son fils. Mais presque aussitôt il a repris. Souvent ils me murmurent qu'il y a BlaBlaCar. Ils me demandent pourquoi je ne mets pas une annonce en ligne. Avec BlaBlaCar aussi on fait de belles rencontres, ils disent. Ils sont un peu gênés, ils pensent que c'est à cause de l'argent. Je les détrompe, je leur dis que je suis déjà parti avec BlaBlaCar, que tout s'est bien passé, mais que ce n'est pas pareil. Puisque sur BlaBlaCar on se choisit. Puisqu'on a rendez-vous. Puisque dès le départ chacun sait qu'à la fin il s'y retrouvera, en temps comme en argent.

Nous étions arrivés au bout du sentier. Au-delà le talus s'arrêtait, coupé par la route. En contrebas c'était la rocade, les voitures filant à 90 à l'heure. Agustín s'est calé dans la pente du talus. L'autostoppeur et moi avons laissé tomber nos culs dans l'herbe, étendu nos jambes devant le panorama. Nous sommes restés à regarder l'étendue rase au-delà de la voie rapide. Les parcelles bâchées de plastique noir. Les longs tunnels de plastique transparent d'une parcelle couverte de serres. Les silhouettes des préfabriqués de la zone commerciale au loin.

Une Punto rouge vif a déboulé sur la rocade, fâchée, bruyante, filant vite. Nous avons eu le temps de la voir arriver, de scruter le visage de la vieille dame au volant, de voir son regard se lever vers nous d'un air de nous demander ce que nous foutions là. Une autre voiture a jailli, sportive, noire, musique à fond. Au volant un jeune en survêt a levé la main en guise de salut, envoyé un grand coup de klaxon vers nous comme pour nous féliciter.

L'autostoppeur s'est serré contre moi.

Alors la Provence. Qu'est-ce que t'en dis.

J'ai regardé les bouteilles de bière et le vieux carton de pizza abandonné au bas du talus, levé les yeux pour embrasser du regard les alentours. J'ai écouté le vrombissement d'une voiture à l'approche.

Vous venez souvent, j'ai demandé.

Tous les jours après l'école, il a ri. Non bien sûr c'est la première fois. On n'était jamais allés si loin.

Une nouvelle voiture a déboulé. Les yeux du conducteur se sont plantés dans les miens. Des yeux sévères. Scandalisés de nous voir traîner à cet endroit.

On fait peur à tout le monde.

L'autostoppeur a attendu la voiture suivante, comme pour vérifier l'effet de notre présence.

Cette fois le conducteur est passé sans lever les yeux.

De toute façon va falloir y aller. Faut qu'on rentre, c'est moi qui cuisine aujourd'hui.

Agustín s'est levé, a épousseté son short et son tee-shirt. Une graminée est restée prise dans ses cheveux.

Salade de tomates du jardin ça vous va.

Agustín a dit oui.

Et toi Sacha.

J'ai hésité à répondre. Agustín a levé la tête vers moi,
à l'affût de ma réponse.

Tomates du jardin Sacha toi aussi ça te va.

L'autostoppeur a souri.

T'as pas le choix t'as vu.

5

Ce jour-là je suis resté tout l'après-midi chez lui. J'avais eu besoin autrefois de couper les ponts. Ce dimanche j'ai constaté que ce serait toujours là : ce courant. Cette immédiate intelligence entre nous. Cette intuition chacun des pensées de l'autre.

Revenus avec Agustín nous avons trouvé Marie dans la cuisine, les tomates déjà coupées en tranches épaisses, charnues. Le four était allumé, une odeur de tarte ou de pizza montait.

Salut Sacha, a dit Marie en me voyant entrer. Le fameux Sacha.

J'ai senti contre mon visage ses joues fraîches. Ses bises énergiques, joyeuses. J'ai senti l'odeur de ses cheveux, un peu mouillés encore d'une douche prise quelques minutes plus tôt.

Pourquoi fameux, j'ai souri. Fameux de rien du tout.

Allez mettez-vous à table, c'est presque prêt.

Nous avons porté les assiettes et la salade de tomates sur la petite table en fer au milieu du jardin. Approché quatre tabourets. Nous nous sommes servi du vin. Avons goûté les tomates. Marie s'est tournée vers moi d'un air joyeux.

J'ai lu ton dernier livre. Il m'a obligée à le lire, elle a ri en me montrant l'autostoppeur.

J'ai souri. Il me l'a dit. Ça me touche.

On en a plusieurs, a repris Marie. Au moins deux ou trois.

Tous, a fait mine de s'indigner l'autostoppeur. On les a tous. Même le tout premier.

Marie s'est amusée de le voir si enflammé. Elle nous a regardés tous les deux.

Il y a combien de temps que vous ne vous étiez pas vus.

L'autostoppeur m'a fixé avec calme.

Un bail, il a dit. Combien d'années. Je dirais bien quinze.

Seize, j'ai renchéri. Dix-sept même pour être très exact.

Dix-sept ans, Marie s'est exclamée.

Je me suis demandé s'il lui avait tout raconté. Si elle savait ce qui à l'époque nous avait éloignés. Il m'a semblé que non.

C'est beau de vous voir à nouveau ensemble en tout cas.

Nous avons approuvé. Agustín nous a regardés lui aussi, d'un air de chercher dans la scène ce que sa mère pouvait y trouver de beau. J'ai songé qu'il allait peut-être nous questionner sur ces dix-sept années de silence. Il n'y a pas pensé, ou n'a pas osé.

J'ai repris des tomates, vidé mon assiette plus vite encore que la première fois, bu le jus à la petite cuillère, jusqu'à la dernière goutte. Marie a souri de mon appétit. Il paraît que tu traduis de l'italien, je lui ai dit. Elle a acquiescé.

Des romans surtout.

C'est à ça que tu travaillais quand on est arrivés.

J'attaquais la traduction d'un nouveau livre. Le dernier roman de Lodoli, tu le connais peut-être. Marco Lodoli. Un Romain.

Elle a vu dans mes yeux que le nom ne me disait rien.

Tu n'as jamais lu de Lodoli.

J'ai dit non. Un non piteux.

Elle a pris un malin plaisir à m'accabler, à m'affirmer que Lodoli était un des meilleurs écrivains italiens vivants, un des meilleurs écrivains vivants tout court. Que je devais impérativement lire Lodoli. Que ma vie en serait changée, elle disait bien ma vie, cela lancé comme un argument publicitaire qui a fait démarrer le déjeuner de la plus belle des façons, dans un éclat de rire général, ravis tous les quatre de voir Marie de si joyeuse humeur.

J'ai demandé de quoi le livre parlait.

Toujours de la même chose. La vie qui passe. Le temps qui s'en va. C'est tout simple, il n'y a jamais rien de spectaculaire. Simplement les hommes et les femmes qui naissent, grandissent, désirent, deviennent adultes, aiment, n'aiment plus, renoncent à leurs rêves, au contraire s'y accrochent, vieillissent. S'en vont peu à peu, remplacés par d'autres.

Qu'est-ce qu'il faudrait raconter de plus, j'ai dit. C'est la seule chose à raconter.

L'autostoppeur s'est levé.

Ta pizza.

Par la fenêtre nous l'avons entendu se dépêcher d'ouvrir le four, en sortir le moule brûlant. Il est revenu avec un fin disque de pâte garni d'aubergines et de poivrons, nous a servis. J'ai senti la chair épaisse des aubergines m'emplir la bouche. Le jus des poivrons imprégner mon palais, me brûler les gencives.

C'est fameux, j'ai dit.

Marie a souri.

Les aubergines pourraient juste être un poil plus grillées, a dit l'autostoppeur.

Il s'est fait huer, m'a regardé en se marrant.

La prochaine fois je te la ferai moi, la pizza, Sacha. Tu verras.

Nous avons bu aux retrouvailles, sommes restés quelques secondes sans rien dire, étonnés tous les quatre de ce déjeuner presque familial. De ma présence à cette table, si vite.

On est allés au bout de la roubine, a dit l'autostoppeur. Au bout ça s'arrête, le talus est coupé. Tout d'un coup c'est la rocade.

On a trouvé des bombes à graines, a dit Agustín.

Il y a eu un temps. Marie m'a regardé.

Et le prochain livre il parle de quoi.

J'ai hésité. Je me méfie des livres dont on parle trop avant de les avoir écrits, on les termine rarement.

Peut-être que c'est indiscret comme question.

J'ai répondu non. C'est l'histoire d'une vieille dame qui voyage, va de ville en ville, de rencontre en rencontre. Une vieille dame à la retraite, qui n'a plus de contraintes liées à aucun travail. Pas de mari. Pas d'enfants. Qui peut faire toute la journée ce qu'elle veut, quitter Paris, s'en aller voyager. Décider de venir habiter à V.

En gros c'est toi.

Exactement. Sauf qu'elle voyage, moi pas. Au fond c'est un bon résumé de ma vie, tu as raison : je suis une vieille dame solitaire qui ne voyage même pas.

Agustín m'a regardé en riant. Marie a laissé passer un temps.

Et pourquoi elle est vieille cette dame. Pourquoi tu n'as pas choisi une femme de notre âge. Pourquoi pas un homme. Pourquoi pas toi.

J'ai réfléchi.

Parce que l'appétit de vivre m'impressionne encore plus chez ceux qui ont beaucoup vécu déjà. Ils pourraient être émoussés, blasés. Mais non. Le feu est toujours là. Intact.

Mais elle tombe amoureuse ta vieille dame, a demandé Marie.

J'ai dit non.

C'est pour ça qu'elle est vieille alors, m'a piqué Marie. Ça règle la question du désir.

Je me suis récrié. J'ai dit que j'avais vu des femmes presque centenaires continuer de tomber amoureuses. Certaines avoir des amants.

Mais dans ton livre, a dit Marie.

Dans mon livre non. L'amant de ma vieille dame c'est le monde. C'est la terre entière qu'elle voudrait embrasser. Il y a eu un temps. Laissés en suspens, mes mots m'ont semblé fantastiquement cons : l'amant de ma vieille dame c'est le monde. Ça rimait à quoi ce charabia. Est-ce que cela avait le moindre sens.

Agustín s'est levé. Avec l'autostoppeur et Marie nous avons bu le café, continué de traîner dans le jardin en déplaçant la table pour suivre les progrès de l'ombre du grand laurier sur le sol. Puis un nuage sombre est venu couvrir le ciel. Il s'est mis à faire gris.

C'est le signe, a dit Marie. Allez j'y retourne.

Elle est remontée. L'autostoppeur s'est levé, m'a dit viens. Viens je te montre le bureau que je me suis installé. Il m'a entraîné jusque devant l'entrée d'une petite pièce attenante à la cuisine. Il a poussé la porte vitrée, pénétré dans une sorte de garage en ciment brut. J'ai regardé les étagères dressées le long du mur, rayonnages faits de planches et de briques toutes simples. Les livres posés çà et là. Une étagère de romans. Une autre de poésie. Une autre encore d'essais – l'autostoppeur avait toujours préféré les essais. J'ai regardé les autres murs réservés au stockage d'outils, de caisses, de matériaux, de sacs de plâtre et de ciment.

Je me suis demandé ce qu'il pouvait bien faire entre ces quatre murs. Quel genre d'heures il pouvait passer dans cette pièce presque sans fenêtre, déjà froide un dimanche de septembre, probablement glacée l'hiver.

Tu bricoles beaucoup.

Ça m'arrive. Je fais des chantiers. Toutes sortes de travaux. J'ai été un moment dans les charpentes. Ça n'arrête pas, on est toujours appelé, toujours plus loin. Les chantiers étaient longs, j'en avais marre. Je me suis mis à l'électricité, à la plomberie. Maintenant je suis à mon compte. Je fais tout, maçonnerie, carrelage, salle de bains, cuisine. Plus de patron sur le dos, c'est fini.

J'ai regardé ses mains. Les mêmes que je lui avais toujours vues. Un peu plus calleuses qu'autrefois peut-être. La paume un peu plus large.

Il a ouvert un tiroir, en a sorti une épaisse enveloppe en kraft, me l'a tendue. J'ai plongé la main au fond, senti de petits rectangles de plastique fin au bout de mes doigts. J'en ai pioché une dizaine, les ai sortis de l'enveloppe pour les regarder.

Des polaroids. Portraits d'un vieux couple photographié à l'avant d'un camping-car sur une côte bretonne. D'un menu camionneur sec comme du vieux bois levant le pouce au volant de son dix-tonnes. D'un barbu un peu fort en polo rose sur un parking d'aire d'autoroute, au milieu de la nuit. D'un vieil homme chauve à la peau burinée, bouche lippue, sourcils tirés en arrière, souriant au volant d'un coupé.

C'est qui, j'ai demandé.

C'est les gens que je rencontre.

Ceux qui te prennent en stop.

Ceux qui me prennent dans leur voiture. Ceux avec qui je passe du temps.

Tu les photographies tous.

J'essaie. Parfois j'oublie. Ou ils s'arrêtent à un endroit trop dangereux, j'ai à peine le temps de sauter, il faut qu'ils redémarrent. Mais chaque fois que je peux je leur demande.

Ils ne refusent jamais.

Ça a dû m'arriver deux ou trois fois, pas plus.

Je suis resté à regarder les dizaines de visages d'automobilistes.

Tu en as beaucoup, j'ai demandé.

Je ne sais pas. Peut-être deux cents. Trois cents. J'ai commencé il y a deux ans.

Mon regard s'est arrêté sur une photo prise en plein centre de Paris, métro Château-d'Eau, de bon matin, le carrefour encore désert. Un grand type à la barbe soignée, lunettes d'écaille, costume un peu raide devant sa BMW grise.

Lui je l'ai rencontré à presque 3 heures du matin. Là il est 7 heures, il vient de me déposer. Ce type on ne dirait pas, mais il vient de me sauver. J'étais à peu près foutu, coincé en pleine nuit sur une station-service entre Angers et Le Mans. Il n'y avait pas une voiture, à peine de temps en temps une équipée de fêtards venus chercher de l'essence avant de filer en boîte. Jamais rien pour moi. J'allais me résigner à passer la nuit là. Et puis sa voiture est arrivée, vitres teintées, peinture grise impeccable. Un patron levé plusieurs heures avant le jour pour être à l'aube à Paris, sur un énorme chantier où venait d'exploser une canalisation. Un type sur qui je n'aurais pas parié un centime, et qui pourtant m'a tout de suite ouvert sa portière. À peine assis je me suis endormi tellement j'étais mort. Il aurait pu se vexer mais non. Quand je me suis réveillé on était à hauteur du Mans, on a bavardé toute la fin du trajet. À 6 h 30 on était Porte de Versailles, et comme il était en avance il a poussé le chic jusqu'à me déposer rive droite.

Nous avons regardé d'autres photos. Un jeune au sourire fatigué, toujours de nuit, cannette de Red Bull levée vers l'objectif comme pour trinquer, face éclairée par le flash, yeux rouges. Un homme au volant d'un utilitaire blanc, menton fort, polaire rurale du travailleur habitué au froid.

Lui c'était dans le Nivernais. Un ancien gérant de scierie reconverti dans la location de vélos. Pendant tout le trajet il me montrait les arbres, me disait leur âge, ce qu'on pouvait faire de chaque espèce, combien de pertes tu avais à la coupe d'un hêtre, d'un sapin, d'un chêne, quel gâchis c'était cette nouvelle mode d'équarrir les troncs pour mieux les transporter par bateau à l'autre bout du monde. Et puis des secrets que je n'avais jamais soupçonnés. La conservation du bois par aspersion. Le séchage des merrains. Les efforts pour laver le bois de son tanin. La découpe millimétrée des grumes destinées aux fûts de vin, toujours dans le sens de la hauteur, du haut vers le bas, en suivant les rayons du bois, tu m'étonnes que ça coûte les yeux de la tête.

L'autostoppeur a reposé la photo du type en polaire, en a pris une autre, d'un type au sourire fuyant, dents abîmées, cernes creusés, joues mangées de barbe, quelque chose malgré tout de lumineux dans les yeux. Lui sortait tout juste de la prison de Tarascon. Un gitan de Saint-Laurent-du-Var, fils de ferrailleurs, qui m'a raconté comment son père autrefois découpait les voitures à la hache dans les casses, avant d'aller revendre la ferraille au poids. Il m'a expliqué qu'il avait failli mourir asphyxié à sept ou huit ans, en jouant à cache-cache sur une décharge. Il s'était planqué dans un vieux frigo, la porte s'était refermée, il avait beau crier, personne ne le trouvait. Il entendait sa mère et sa tante l'appeler à tue-tête, Zeppi, Zeppi tu es où. Il hurlait en retour, de toutes ses forces il hurlait, mais le son ne sortait pas. Finalement sa mère a vu le bout de son écharpe qui dépassait, coincée dans la porte du frigo. Elle l'a sauvé de justesse, il était déjà tout bleu.

L'autostoppeur s'est tu.

Par l'unique fenêtre du petit bureau, nous avons vu Agustín apparaître dans le jardin, se mettre à taper avec un ballon dans le mur. Bam. Le reprendre de volée chaque fois qu'il lui revenait dans les pieds. Bam. Le cuir s'écraser à chaque shoot contre le mur de pierre.

J'ai promené ma main parmi les photos étalées sur la petite table.

Tu te les rappelles tous, j'ai demandé.

Pas tout ce qu'on s'est dit, mais des détails. Si le type me plaisait ou pas. La façon qu'il avait de parler de la vie. Un sentiment général au moment de se quitter à la fin. De simple reconnaissance pour le service rendu ou de joie de s'être connus pendant deux heures.

Il n'y a pas beaucoup de femmes, j'ai fait remarquer.

Non c'est vrai. Mais quand même il y en a.

Il a fouillé dans la pile, en a sorti une photo sur laquelle on voyait une fille de notre âge en train de lui dire au revoir. Derrière il y avait des pins, des oliviers, des chênes-verts, des bouquets de genévriers. C'était quelque part au bord de la Méditerranée. La lumière était belle, un peu dorée. Une lumière de fin d'après-midi. La fille avait la peau fantastiquement blanche, les cheveux très noirs. Elle regardait l'objectif avec défi, s'amusait à poser en riant d'elle-même, lunettes de soleil rejetées sur le bout du nez, sourcils froncés.

Elle est belle, j'ai dit.

Il a approché le polaroid de la petite lampe de son bureau pour mieux voir son visage.

Je suis resté avec elle tout le trajet entre Perpignan et Nice. Elle revenait d'Espagne, allait en Italie. Prof de lettres à la fac de Bologne. Amoureuse de Lobo Antunes, de Claude Simon, de plein d'auteurs avec lesquels tu m'as toujours bassiné. T'as pas peur de prendre des inconnus comme moi, je lui ai demandé à un moment. Elle s'est marrée. Tu crois quoi : je les choisis. Si je t'ai pris c'est que je t'ai vu et que je me suis dit : allez. Allez celui-là il me plaît je veux bien faire la route avec lui.

Il m'a tendu la photo pour que je la regarde.

On a parlé pendant tout le trajet. De la vie. De nous.

Je lui ai posé la même question qu'à tous les automobilistes : que faire. La question de Lénine. Chez Lénine c'est une pure question de stratégie, on ne peut plus concrète. Que faire pour réussir à prendre le pouvoir ici et maintenant, la Russie de 1917 étant ce qu'elle est. Moi cette question je me la pose à propos de la vie tout entière, je lui ai dit. À ton avis qu'est-ce qu'il faut faire tout court. De la vie. De la mort. De l'amour. L'autostoppeur a ri de lui-même avant de reprendre. Je ne sais plus ce qu'elle a répondu. Je me souviens juste que j'aimais ce qu'elle disait. La façon dont elle le disait. Sans emphase. Sans grandes leçons. En se moquant un peu de mes questions plus grosses que moi. Elle venait de lire Spinoza, ça l'avait marquée. Elle m'a raconté que pour Spinoza chacun de nous était comme un petit nuage fragile, à chaque instant menacé de heurter d'autres nuages et de se dissoudre. Elle m'a dit que Spinoza n'utilisait pas l'image du nuage, mais que c'était comme ça qu'elle l'avait compris : vivre c'est maintenir entier le petit nuage que nous formons, malgré le temps qui passe, malgré les bonnes et les mauvaises rencontres. C'est réussir à faire tenir ensemble toutes les petites gouttes de vapeur qui font que ce nuage c'est nous, et personne d'autre. Depuis que j'ai lu Spinoza je m'encourage, elle racontait, je me dis allez petit nuage, *avanti*, fends vaillamment le monde, reste le petit nuage que tu es, sois-le toujours plus, un petit nuage vaillant et unique. Parfois je tombe amoureuse, elle disait, je rencontre un autre nuage qui me plaît très fort et l'autre nuage me bouscule, son intégrité chamboule la mienne, nous ne pouvons empêcher nos parties de se mêler, tous les deux nous sommes un peu confus. Je suis heureuse, je suis triste, tout est brouillé, il me faut du temps pour m'habituer à ce nouvel état. Et puis petit à petit je me retrouve, je me ressaisis au sens propre. Vaille que vaille je ramasse les parties de moi-même. Le petit nuage que je suis reprend son chemin.

Pas mal, j'ai dit.

Pas mal oui.

Finalement tu t'en souviens très bien.

Mieux que je ne pensais, il a dit songeur.

Dehors le ciel s'est découvert. Le soleil est réapparu, ravivant le vert de l'herbe.

J'ai senti qu'il hésitait à continuer.

Il s'est passé quelque chose de beau pendant ce trajet-là, il a repris après un silence. À un moment la fille a quitté l'autoroute. Je me rappelle ses mots : il y a un endroit où je veux t'emmener. Cela dit d'un ton calme, décidé, qui ne me laissait pas le choix. On arrivait à hauteur de Cassis, j'ai pensé qu'elle voulait me montrer une calanque. Mais elle a pris une petite route qui grimpait dans les collines. Pendant dix minutes on a serpenté parmi les vignes et les oliveraies. La route est devenue une piste. À la fin on s'est garés sous un bouquet de chênes-verts. On est descendus. Je l'ai suivie jusqu'à une tour en béton d'où on voyait très loin à la ronde. C'est une vigie que j'ai gardée autrefois, elle a dit doucement. Avec un amoureux. Un Français. Il y a peut-être dix ans. On a passé tout l'été là, sur cette colline. À guetter les départs de feux. À signaler la moindre fumée de barbecue dans la plaine. Le moindre feu de jardin. Des journées entières seuls sans une visite. D'autres à recevoir des visites d'amis. À se retrouver à dormir à quinze, à vingt tentes là en contrebas. Une fois c'est nous qui avons failli foutre le feu, elle a ri.

L'autostoppeur s'est tu. Je l'ai imaginé dans la tour avec la fille, dans le soleil, au milieu des arbres. Je me suis demandé comment son récit allait finir.

On est restés là dix minutes à respirer l'odeur de résine. À regarder la mer au loin.

Et puis.

Et puis on est repartis.

Il s'est tourné vers moi, m'a regardé en souriant d'un air paisible.

On est repartis et une heure plus tard elle m'a déposé sur une aire d'autoroute près de Nice. Elle a donné un dernier coup de klaxon. Et elle a disparu.

Vous vous êtes revus, j'ai demandé après un moment.

Il a secoué doucement la tête.

Non.

Tu as toujours son adresse.

C'est bête mais non. Je n'ai pas pensé à la prendre. C'était il y a deux ans. Maintenant je note toujours un numéro, une adresse mail au moins.

Nous sommes restés silencieux. J'ai à nouveau regardé la fille sur la photo. Je les ai imaginés tous les deux, quittant l'autoroute pour aller se perdre parmi les collines. J'ai désiré très fort être moi aussi dans une voiture avec cette fille.

J'aime penser qu'elle est là, quelque part, il a repris. À Bologne. Ailleurs. Penser que sauf miracle je ne la reverrai jamais. Qu'elle ne sera passée dans ma vie que ces quelques heures. Que ç'aura été de belles heures. Assez belles pour compter plus dans mon souvenir que plein d'histoires vraiment vécues.

Nous sommes ressortis du garage.

La lumière au-dehors nous a frappés.

Papa tu viens, a dit Agustín en continuant de taper dans son ballon.

L'autostoppeur a marché vers lui, reçu la balle, fait trois jongles avant de la lui rendre.

Attends je raccompagne Sacha.

J'ai levé les yeux vers la fenêtre de Marie. Je l'ai vue qui nous regardait.

Ça va les garçons.

Ça va, j'ai dit.

Sacha je t'ai mis le dernier Lodoli sur la table de la cuisine. Emporte-le ça me fera plaisir.

Je suis entré dans la cuisine. J'ai vu le livre. Un volume de trois à quatre cents pages, à la couverture blanche et bleue, aux pages souples. Sur la couverture j'ai lu : *Les prétendants*. Et en plus petit, en dessous : *La nuit – Le vent – Les fleurs*.

À quoi ai-je su que ce livre me bouleverserait.

Je suis ressorti dans le jardin pour la remercier par la fenêtre. Je leur ai dit au revoir à tous les trois. Je suis rentré chez moi.

6

Plusieurs jours sont passés sans que je revoie l'autostoppeur. Je ne l'ai pas rappelé, n'ai pas cherché à le
recroiser. Lui non plus. Comme si ce dimanche ensemble
nous dispensait pour longtemps de toute obligation l'un
envers l'autre.

Je me suis plongé dans ma nouvelle vie. J'ai repris le
travail, recommencé à promener ma vieille dame par les
aéroports et les gares du monde entier. J'ai réalisé que je
n'avais pas tout dit à Marie et à l'autostoppeur. Que je
leur avais même caché un élément essentiel, le point de
départ de tout mon projet : la fameuse ellipse du dernier
chapitre de *L'Éducation sentimentale*. Ces quelques lignes
qui suffisent à Flaubert à la fin du livre pour envoyer
Frédéric en voyage et le faire revenir des années plus
tard, suffisamment vieilli en trois phrases pour regarder
maintenant sa vie avec recul. «Il voyagea. Il connut la
mélancolie des paquebots, les froids réveils sous la tente,
l'étourdissement des paysages et des ruines, l'amertume
des sympathies interrompues. Il revint.» Vertige du

temps dilapidé, de l'écheveau des ans dévidé d'un coup. Bouleversement de toute une vie humaine réduite par l'accélération désinvolte de Flaubert à cela : un départ, un retour. Le voyage d'un homme destiné de toute façon à passer, comme tout passe.

À rebours de Flaubert, j'avais décidé de retenir le temps. De freiner autant que possible son passage en opérant le contraire d'une ellipse – un ralentissement par saturation, dilatation, restitution de chaque instant dans ses ramifications, son buissonnement inépuisable de détails, d'images, de sensations, de réminiscences, d'associations. Je me suis demandé pourquoi l'autre soir je n'avais pas dit que ma vieille dame n'allait pas successivement à Cotonou, à Bénarès, à Bogota, mais dans tous ces endroits à la fois, fondus dans le même absolu présent. Pourquoi je n'avais pas dit mon titre : *La mélancolie des paquebots*, comme une promesse d'expansion – à l'inverse de Flaubert dont tout l'effort était de ramasser.

Au cours de ces jours-là j'ai entendu à la radio une émission sur la musique indienne. J'ai appris qu'il existait des ragas pour chaque saison, chaque humeur. Que le but d'un raga n'était pas de raconter une histoire, pas d'éblouir ni d'envoûter, mais de transmettre une émotion. De communiquer une humeur. Le raga comme équivalent musical d'un certain état mental. J'ai pensé que c'était ce que je devais faire. Réussir un texte qui transmette cette humeur particulière : la mélancolie des paquebots. J'en ai vu très distinctement la couleur. Un jaune doré, lumineux, un peu vieilli. L'embrasement des mâts de navire dans le fond des tableaux du Lorrain. Quelque chose de passé, lustré, patiné par le souvenir. Qui luise avec la splendeur de l'émerveillement passé, irrémédiablement perdu.

J'ai voulu composer de grands panneaux muraux. De purs panneaux de texte qui soient comme du temps écrasé, condensé, cristallisé. Des tranches de temps qu'on puisse embrasser d'un coup d'œil.

Je suis allé acheter des toiles. J'ai commencé à les enduire de blanc. J'ai pris un pinceau plus fin, je l'ai trempé dans un petit pot de peinture jaune vif, lumineux comme du pollen. Sur le blanc d'une toile je me suis mis à recopier le début de mon texte. J'ai tracé une ligne entière, puis une autre. J'ai vu le rectangle commencer à se couvrir de doré dans sa partie supérieure.

Au bout de trois jours j'ai terminé le premier panneau. Je l'ai accroché au milieu du salon. J'ai fait quelques pas en arrière pour prendre du recul. J'ai essayé d'allumer, puis d'éteindre, de l'accrocher à un autre mur, mieux éclairé par la lumière du jour. J'ai cherché le meilleur angle pour l'observer, espéré cinq minutes qu'advienne le miracle que j'avais rêvé. Après l'euphorie qui m'avait porté pendant trois jours, j'ai senti quelque chose en moi se chiffonner.

J'ai décroché la toile, je l'ai glissée derrière une porte, face contre le mur.

J'ai eu besoin de sortir.

J'ai été étonné, en bas, de trouver l'air chaud. Les feuilles craquées. Brûlées. Presque consumées de chaleur.

J'ai réalisé que je venais de rester trois jours sans mettre le nez dehors.

Machinalement je me suis laissé glisser vers le bas de la ville. Arrivé sur la petite place aux platanes, j'ai pensé que je n'étais pas loin de chez l'autostoppeur. J'ai poussé jusque devant sa maison, trouvé la grille fermée, les volets rabattus. J'ai continué jusqu'au fleuve. Je l'ai vu apparaître par-delà la rambarde bétonnée, agité, tourmenté, d'un bleu-gris foncé, fâché. J'ai regardé le soleil rebondir joyeusement à la surface du courant, le vent soulever çà et là des gerbes brillantes dans le contre-jour.

J'ai senti mon téléphone vibrer dans ma poche.

J'ai pensé qu'il n'avait pas sonné depuis longtemps.

J'ai répondu.

Sacha.

Hey Jeanne comment ça va.

Comment ça va toi. Cette installation. Ce bouquin.

Cela dit tranquillement, joyeusement. Comme si son appel était la chose la plus naturelle du monde.

J'espérais que tu m'appelles mais non, elle a dit en riant.

Je me suis marré.

J'ai failli, j'ai bredouillé.

Failli ça me fait une belle jambe.

Je te jure j'ai failli. J'allais le faire.

Le soir nous sommes allés dîner dans un petit restaurant tenu par une de ses amies. Nous avons bu. Nous avons ri. À nos âges il n'y a pas grand mystère. On n'attend plus le grand emportement. On y va. On essaie.

C'est très simple. À la fois beaucoup plus simple et beaucoup plus compliqué peut-être. On en a vu déjà. La commotion est moindre. L'élan plus difficile à prendre. On est plus lourd. Plus attaché à soi. Plus pétri d'habitudes. Moins facile à bouger. Il y a des avantages à ça. On est plus assuré. On se connaît mieux. On sait mieux ce qu'on aime. Mieux ce qu'aime l'autre aussi. Ce qu'on a perdu en fragilité, en faculté de s'émouvoir, on l'a gagné en attention. On sait combien c'est cela aussi l'amour, et bien le faire. On sait le prix de la douceur. On donne mieux. On reçoit mieux. On connaît mieux les frontières de son corps, celles de l'autre. On est meilleur nageur.

J'ai pensé cela le soir, en regardant Jeanne déshabillée près de moi dans le lit, deux verres de vin posés entre nous : comme c'est simple et bon. Comme tous les deux nous savons être agréables. J'ai pensé que cela venait d'elle, encore plus que de moi. Qu'elle avait au suprême degré cet art : faire que le moment ensemble soit un beau moment.

Nous sommes restés d'abord à boire l'un près de l'autre, nus tous les deux, nous contentant d'une caresse de temps à autre. Continuant de parler. Laissant à nos corps le loisir de se connaître, de se reconnaître.

J'ai caressé ses épaules, ses seins. Ses fesses belles et fortes.

Elle a joué avec ma verge. Elle a ri de la voir réagir.

Nous avons regardé les livres.

Plusieurs fois je l'ai vue se redresser légèrement sur ses genoux pour en attraper un sur une étagère. J'ai regardé par-derrière son cul se soulever, son bras aller chercher très haut au-dessus de sa tête, cambrant tout son corps. J'ai eu envie de l'attraper, de la tenir, de la renverser sans attendre.

J'ai attendu.

D'un trait nous avons bu un dernier verre. Elle a laissé la décharge d'alcool descendre en elle, l'obliger à plisser les yeux. En riant elle s'est allongée, a ouvert les jambes. Je suis entré en elle.

C'est bon, j'ai dit.

Bien sûr c'est bon.

Je l'ai vue se laisser aller au plaisir, le chercher, le prendre.

Vers 4 heures du matin j'ai fait du café.

Nous l'avons bu assis tous les deux dans le lit, un peu ivres, délicieusement fatigués.

Elle a repéré la toile planquée derrière la porte, m'a demandé ce que c'était.

J'ai dû me lever, lui montrer. Elle a regardé les lettres dorées sur fond blanc, lu ce qu'elle parvenait à déchiffrer : une scène qui montrait la vieille dame assise par terre dans la lumière phosphorescente d'une aérogare lointaine, serrée parmi d'autres passagers épuisés par le manque d'espace, les moustiques, l'éreintement d'attendre un vol retardé. J'ai dit que c'était le début. Que je voulais en faire d'autres. Trouver petit à petit la bonne taille de caractères. La juste intensité de jaune sur le fond blanc. Elle a hoché la tête d'un air d'approuver.

Nous avons fini par nous endormir.

En ouvrant les yeux je l'ai vue debout, douchée déjà, fraîche, son manteau enfilé. Sacha j'y vais, il est 11 heures. Elle est venue m'embrasser dans le lit. On s'appelle, elle a dit.

Je me suis levé pour me serrer contre elle, mon sexe comiquement bandé contre le feutre de son manteau dans le froid du matin. Elle s'est marrée de ce câlin d'ado. Je l'ai regardée partir, claquer doucement la porte. Je suis retourné me mettre dans le lit. J'ai fixé le plafond. J'ai pensé qu'elle était très belle, qu'elle me plaisait beaucoup. Mais j'ai pensé aussi que je ne l'appellerais pas tout de suite. Qu'elle non plus ne se presserait pas. Que l'un comme l'autre nous y tenions, à notre solitude. Avec un peu d'effroi je me suis demandé si désormais dans ma vie l'amour ne serait plus que ça : un supplément. Je me suis levé. J'ai refait du café. Accroché au mur une nouvelle toile. Versé dans mon pot de yaourt une nouvelle coulée de peinture jaune. Je me suis remis au travail.

7

J'ai revu Marie trois jours plus tard. Je l'ai aperçue de loin, assise à une terrasse de la petite place aux platanes. Je me suis approché, je l'ai embrassée, j'ai demandé des nouvelles de l'autostoppeur.

Il est parti, elle a dit.

Parti.

Le lendemain de ta venue.

Je ne sais pas quelle tête j'ai faite, quelle expression est passée sur mon visage. En tout cas elle a ri.

Pardon. Pas parti comme tu crois. Simplement reparti en voyage.

J'ai souri de ma méprise. Demandé vers où.

Vers l'ouest je crois, elle a dit doucement.

Je l'ai regardée, assise dans l'air froid du matin, son regard formidablement enjoué. Son visage à demi enfoui sous des cheveux fous. Ses yeux mal réveillés encore.

En tout cas les retrouvailles avec toi lui ont fait de l'effet. D'habitude ses absences duraient trois jours, quatre maximum. Là ça fait près de deux semaines.

Je me suis assis en face d'elle.

Nous avons commandé deux cafés supplémentaires.

Et ta vieille dame. Est-ce qu'elle avance ta vieille dame.

J'ai dit oui. Un peu.

Elle m'a regardé avec un sourire avant de me glisser ce qui la démangeait sans doute depuis l'instant où elle m'avait aperçu, arrivant sur la place.

J'ai vu Jeanne hier.

Ce qui revenait à dire : je sais tout.

Je n'ai pas cherché à me cacher.

Elle est super Jeanne. On a passé un beau moment.

C'est ce qu'elle m'a raconté aussi.

Nous nous sommes tus.

J'ai pensé que cela faisait trois jours déjà, et que ni Jeanne ni moi n'avions pris la peine de nous refaire signe. Que mes mots même disaient tout : on a passé un beau moment. Au passé composé. Le temps de l'accompli. De ce qui a eu lieu une fois pour toutes.

Je me suis demandé s'il y avait un message dans les mots de Marie. Si en me parlant de Jeanne elle voulait me souffler de l'appeler. Ses yeux étaient francs, clairs. Pas du tout des yeux qui sous-entendaient quoi que ce soit. Ce que Marie avait à dire, elle le disait. Elle avait l'air de parfaitement me comprendre. De parfaitement comprendre Jeanne aussi.

Un enfant a traversé la place à vélo, slalomant pour écraser le plus de feuilles mortes possible.

Marie l'a vu, a échangé avec lui un bonjour de loin.

Vous allez en faire un second, j'ai demandé.

Parfois j'ai envie, elle a ri.

Et lui.

Lui aussi je crois.

Vous allez le faire alors.

Il y a de bonnes chances.

Tu veux m'annoncer qu'il est déjà là.

Non, elle s'est exclamée.

Elle a touché son ventre comme pour vérifier.

Pas que je sache en tout cas.

Les cafés sont arrivés. Des allongés trop clairs, dans des tasses en verre transparent.

Il y a eu une rafale de vent. Nous avons fait le dos rond, serré nos manteaux en nous recroquevillant sur nos tasses. Elle m'a regardé avec une grimace joyeuse.

Ça meule.

J'ai souri de ce mot que j'entendais pour la première fois.

En rentrant ce jour-là j'ai trouvé un paquet expédié d'Épernay. Le premier vrai courrier reçu à ma nouvelle adresse. Je l'ai tâté, j'ai essayé de deviner ce qu'il y avait dedans. Je l'ai ouvert.

Ma dernière moisson d'autostoppés, j'ai lu sur un bout de papier joint aux images.

J'ai vidé l'enveloppe sur mon bureau. Une vingtaine de polaroids en sont tombés. Portraits en buste. Sobres. Simples. Dépourvus d'effets inutiles. Avant tout destinés à remplir l'office de tous les portraits du monde : garder une trace. Empêcher l'oubli.

J'ai compté les visages. Une quinzaine d'hommes seuls.

Quatre couples. Trois femmes. J'ai essayé d'imaginer l'autostoppeur avec chacun d'eux. Partageant l'intimité de leur habitacle.

Je me suis demandé où il était, à cet instant précis. Sur un panneau j'ai aperçu les capitales noires du nom Châteaubriant. Sur un autre j'ai lu La Flèche. Ailleurs encore j'ai reconnu des vaches normandes, la plage de Dinan, des toits d'ardoise du Morbihan. Des forêts de feuillus roussies par l'automne.

Il m'a semblé le voir posté en face de chacun de ces visages, entendre ses mots à l'instant d'appuyer sur le déclencheur. Sa façon de demander brusquement l'attention, de réclamer un sourire. Ou plutôt sa façon de ne rien réclamer du tout, ni sourire ni attention, au contraire de provoquer l'un et l'autre, d'obtenir attention et sourire sans prévenir, à l'exact moment voulu, par quelle pitrerie, quel geste incongru. Quelle blague délibérément vulgaire calibrée pile pour les faire éclater de rire.

J'ai regardé le visage d'une femme en polaire turquoise, la cinquantaine, mèches blondes, peau rougie par le froid d'une région montagneuse, bras un peu forts de chaque côté du volant. Le sourire d'un routier d'Europe de l'Est, pouce levé d'un air de dire : *Dobro*. Super.

Je les ai contemplés, tous. J'ai pensé qu'autrefois j'aurais adoré être dans la voiture avec eux.

Je me suis revu plein de cet élan, de cette soif.

Et puis j'ai senti avec tristesse qu'elle était moindre à présent. Que je la plaçais ailleurs.

J'ai senti que je n'enviais plus l'autostoppeur. Que si ces photos m'atteignaient, si elles me faisaient mal, ce n'était pas de le voir oser quelque chose que je n'osais plus. C'était de sentir son appétit intact. C'était de le voir continuer.

Regarde, l'entendais-je me dire. Regarde comme c'est toujours là. Comme mon audace dure. Regarde comme rien n'a changé, comme je suis toujours le même, et toutes les années qui passent n'y feront jamais rien.

8

Je me suis remis au travail. Je n'ai plus voulu gaspiller une seconde avant le retour de l'autostoppeur. Je l'ai croisé le lendemain après-midi. Marchant paisiblement le long du fleuve. L'air heureux. Fatigué mais heureux. Je n'ai pas réussi à voir s'il savourait ma surprise. Si la fulgurance de son retour était préméditée. Calculée précisément pour produire ce moment. Permettre qu'une fois de plus je sois soufflé. Nous sommes allés boire un verre. Il m'a raconté son retour, de nuit. Amiens-Montélimar en deux voitures. Un type seul sur 500 bons kilomètres. Ingénieur en informatique. Sympa. Puis une bonne heure à poireauter sur une aire près d'Orange. À poireauter dans un froid terrible.

Enfin une voiture de gosses à peine majeurs qui l'avaient tiré de là.

Tu les aurais vus. Trois ados en survêt, cheveux plaqués

à la cire, luisants comme du beurre. Quinze ans. Seize à tout casser. Peut-être dix-huit celui qui conduisait. Et encore.

Il a bu une gorgée de bière en secouant la tête pour rire.

Au début ils m'ont à peine ouvert la vitre. J'ai insisté. J'ai demandé où ils allaient. Marseille, ils ont grommelé. Marseille mais vous êtes pas sur la bonne route, j'ai dit. Ils se sont marrés. Il est trop fort lui, a dit le conducteur. Vous entendez ça les gars. On n'est pas sur la bonne route il paraît. Heureusement que t'es là pour nous aider man. Il m'a reluqué de haut en bas, s'est arrêté sur mes grosses chaussures de montagne, est resté à les fixer avec un profond dédain. Bon faut savoir gros tu montes ou pas. On n'a pas que ça à foutre. J'ai sauté à bord. Ils ne m'ont plus dit un mot. Se sont contentés de regarder l'aiguille du compteur monter. Passer les 180.

D'habitude je prends des notes, j'écris les adresses, il a dit en riant. Là je n'ai même pas demandé les prénoms. Je me suis vissé de toutes mes forces à mon siège et j'ai prié.

Il y a eu un silence. J'ai bu le reste de ma bière. L'autostoppeur s'est raclé la gorge. Et puis il a dit ces mots.

Et vous ici.

Cela d'une voix calme, comme une évidence. Comme s'il allait de soi que Marie Agustín et moi formions un trio. Le trio, j'imagine, de ceux demeurés à V.

Je n'ai pas relevé.

Nous bien, j'ai dit.

Cela d'un ton calme moi aussi.

Nous pas de révolution, j'ai ajouté avec un sourire.

Pas de pointe de vitesse à 180.

Il a ri. S'est tu à son tour. Il a dû réentendre les mots qu'il venait de dire : Et vous ici. Comme s'il me demandait des nouvelles des miens.

Et moi qui avais souscrit sans hésiter à cette idée. Confirmé l'existence de cette entité : un bloc Marie-Agustín-et-moi.

Nous bien. Nous pas de révolution.

Cela répondu sans réfléchir. Comme un fait qui à présent nous laissait tous deux perplexes. Nous demandant le sens de tout ça, dans la lumière de l'après-midi, assis l'un en face de l'autre devant nos bières aux trois quarts bues.

9

Les jours suivants, nous avons passé du temps tous les quatre, avec Marie et Agustín.

Je les ai invités à dîner dans mon petit deux-pièces meublé. Ils ont découvert les murs nus, la peinture vert amande, le vieux canapé en velours marron.

Il y a quoi comme jeux ici, a demandé Agustín.

J'ai vainement cherché une poignée de crayons ou de feutres. Trouvé un bic six-couleurs en état de marche. Une ramette de feuilles blanches. Agustín m'a regardé avec des yeux accablés, comme si je me foutais de lui.

Marie a voulu voir les toiles auxquelles j'avais travaillé ces dernières semaines.

Je m'attendais à plus de texte encore, elle a dit après les avoir longtemps regardées. À une masse presque indistincte de caractères, qui fasse que tout se mélange. Tous les séjours. Tous les voyages.

L'autostoppeur s'est mis à lire. À attraper dans la masse de lettres un début de phrase ici, un autre là. Il a reconnu des noms de villes où il se rappelait que j'avais été. Certaines où nous étions même allés ensemble, Oulan-Bator, Bénarès, Vientiane, Bobo-Dioulasso, Agadez, Chicoutimi. Quelques jours plus tard ce sont eux qui m'ont invité. Est-ce que je propose à Jeanne de venir aussi, m'a demandé Marie au téléphone.

Jeanne est venue. Elle est arrivée vêtue d'un manteau évasé en bas, comme une cape d'enfant. Elle m'a embrassé comme un ami. J'ai reconnu son odeur. Senti la proximité que cela créait, que nous le voulions ou non : avoir passé toute une nuit à prendre du plaisir ensemble.

J'ai vu qu'il n'y avait pas de reproche dans ses yeux, pas de gêne non plus. Qu'elle n'avait pas été blessée que je n'appelle pas. N'avait pas non plus pensé que je puisse l'être de son silence à elle. Que tout était bien.

Agustín est monté se coucher. Nous avons mangé, sommes restés longtemps à parler tous les quatre. Jeanne s'est mise à questionner l'autostoppeur sur son dernier voyage. À le presser de questions sur ses voyages en général, avec une impudence comique, un culot que ni Marie ni moi n'aurions eu.

Et tu dors où quand tu t'en vas comme ça. Les nuits tu les passes où.

Je trouve un Formule 1, une auberge, un relais routier. Je rencontre un automobiliste qui m'offre un toit. J'improvise. Parfois je bivouaque.

Tu bivouaques.

Il a haussé les épaules.

73

Une fois j'ai passé la nuit dans mon duvet devant le volet roulant d'une station-service.

Et toi Marie ça ne t'embête pas de ne pas savoir où il est. Tu ne t'inquiètes pas.

Bien sûr que si je m'inquiète, a souri Marie.

Mais tu penses que tu cherches quoi, a demandé Jeanne en se tournant à nouveau vers l'autostoppeur. Je veux dire quand tu fais ça, tu le fais pour quoi. Ça ne te rapporte pas d'argent. Ça t'éloigne de Marie et d'Agustín. Ça te prend plusieurs jours chaque fois. Tu rentres épuisé. Tu n'es pas reporter, pas écrivain, pas photographe. Tu ne veux pas faire un film, ni une expo, ni un roman, enfin pas que je sache. Tu le fais pour quoi alors.

Il m'a regardé comme pour m'appeler au secours.

Je ne sais pas.

Il a laissé passer un temps.

Sincèrement je ne sais pas. Je le fais pour plein de choses sans doute. Je le fais pour les rencontres. Pour les moments avec moi-même. Pour les endroits que ça me fait découvrir.

Jeanne a eu un sourire perplexe.

Pour les rencontres ça me paraît dingue. Moi j'en ai marre de rencontrer des gens. Je passe ma vie à en rencontrer. Mon rêve ce serait déjà de réussir à voir ceux que j'aime. À les voir vraiment.

Il y a eu un temps. Je me suis demandé si la soirée allait partir en vrille.

Il est resté calme.

Je rencontre des gens différents. Dans la même journée je peux rencontrer un garde forestier, un patron de PME, un charcutier, un arpenteur.

Jeanne l'a regardé.

Mais ça suffit à te faire repartir chaque fois. C'est vraiment ça que tu te dis au moment de retourner te poser à la sortie de la ville avec ton panneau : chouette aujourd'hui qui sait je vais peut-être rencontrer un arpenteur et un charcutier.

Il a ri, Marie et moi aussi. Tous nous avons respiré de voir l'atmosphère se détendre.

Jeanne a ouvert une nouvelle bouteille de vin, comme pour bien signifier que la discussion ne faisait que commencer.

Nous avons attendu. Regardé l'autostoppeur hésiter. Se demander que répondre.

J'en ai besoin, il a fini par dire. Je crois que c'est ça, tout simplement. J'en ai besoin. Il y en a qui ont besoin de faire du sport. Il y en a qui boivent, qui sortent faire la fête. Moi j'ai besoin de partir. C'est nécessaire à mon équilibre. Si je reste trop longtemps sans partir j'étouffe.

Sa voix tremblait un peu, on sentait l'effort qu'il faisait pour formuler tout ça.

Ça t'arrive d'étouffer, il a demandé à Jeanne. D'avoir la sensation physique d'étouffer je veux dire. De vraiment manquer d'air.

Le ton de sa voix était imperceptiblement monté. Jeanne a acquiescé.

Et je vois que c'est pire depuis que je garde des traces

des gens que je rencontre. Je vois ma pile de photos qui augmente. Ma liste d'adresses qui se rallonge. Ça devient compulsif. J'ai toujours envie qu'il y en ait plus. Il s'est levé, gêné de s'être tant confié. Nous l'avons regardé se tenir debout près de la table, s'appuyer sur une jambe, puis sur l'autre, son verre à la main. Attendez je reviens, il a dit au bout de quelques secondes.

Il a disparu dans la pièce qui lui servait d'atelier, en est ressorti avec une carte routière beaucoup plus abîmée encore que la mienne. Il a poussé les verres et les assiettes vides, l'a dépliée sur la table. J'ai reconnu le maillage familier de nationales et d'autoroutes. Les artères principales en rouge. Les veines bleues des nationales. Le pays tout entier irrigué de capillaires, de vaisseaux, routes départementales, communales, chemins divers. Les taches vertes des forêts. Le blanc des plaines. Le bleu des lacs. Le gris léger du relief. Les mouchetures synonymes de marais. Et partout sur la carte non seulement la multitude de noms de lieux imprimés en corps plus ou moins gros selon le nombre d'habitants, mais des buissons d'inscriptions rajoutées au stylo noir. En caractères serrés. D'une main patiente. Parfois très légèrement de travers. Parfois raturés. Biffés. Chevauchant d'autres inscriptions plus anciennes. Zoé et Claire, Angers-Paris, 13 novembre 2016. Raphaëlle, Lunéville-Belfort, 17 août 2016. Damien, Aspremont-Le Tholonet, 1ᵉʳ août 2016. Jean-François et Tom, Brest-Morlaix, le 25 mars 2017. Guénaël, Châteaubriant-Nantes, le 14 avril 2017. Anthony et Agnès, Nantes-Angers, le 14 mars 2017. Certaines zones largement recouvertes déjà. La région parisienne. La Bretagne. Les grands axes autoroutiers. Le Sud. D'autres presque entièrement vierges encore. Des départements entiers oubliés. Le Cantal. Les Landes. La Haute-Saône. La Marne.

Je reporte tout ici. Les noms, les adresses. Les dates. Les distances parcourues avec chacun.

On dirait un tableau de chasse, a soufflé Jeanne.

Il a souri de lui-même.

Ça m'arrive de songer à ça moi aussi. Je pourrais regarder cette carte et me réjouir. Penser : tous ces gens rencontrés. Mais quand je la vois c'est le contraire qui arrive. Je vois toutes les régions laissées vierges. Je regarde le Cantal toujours désert et je me dis, prochain voyage direction Salers. Je regarde les Hautes-Alpes où je n'ai toujours pas mis le pied et je me dis, cap sur Gap.

Marie était demeurée silencieuse. Elle a resservi les verres.

Dans le livre que je traduis il y a un homme comme toi qui part, elle a dit à l'autostoppeur. Il est beau, il aime la vie, il aime sa femme et son fils. C'est son travail qui le fait partir, il est magicien, il faut bien qu'il s'en aille sur les routes faire son métier. Sa femme le comprend. Sa femme et son fils l'aiment. Le type est sincèrement merveilleux. Il s'en va et ses retours sont chaque fois émouvants. Il rentre avec des cadeaux plein les bras. Il montre à son fils de nouveaux tours de magie. Il raconte les gens qu'il a vus. Il est heureux de revenir.

Et puis petit à petit ses absences se rallongent. Il part de plus en plus souvent. De plus en plus loin.

Marie avait dit tout cela d'un ton paisible. En prenant son temps.

Elle a repris une gorgée et s'est arrêtée.

Et à la fin, j'ai demandé.

À la fin vous lirez, elle a répondu en souriant. J'allais vous raconter mais je préfère ne rien dire.

Jeanne avait apporté une eau-de-vie bouillie par un ami de ses parents, quelque part en Alsace. Je l'ai débouchée. J'ai senti l'odeur de framboise me frapper les narines. Une odeur de baies sauvages, de forêt.

Nous en avons bu un peu. Et puis davantage. Et puis nous avons fini la bouteille, et il était une heure, et tous les quatre nous étions bien autour de la table, enveloppés chacun sous nos couvertures dans le jardin de plus en plus froid, la bougie presque tout entière fondue à présent.

L'autostoppeur a voulu mettre de la musique.

Il a choisi un morceau que je l'avais vu mettre cent fois peut-être. Un morceau qui était déjà son morceau préféré à l'époque où nous allions à la fac ensemble, où nous étions colocataires, où ensemble nous partions sur les routes deux mois par an l'été.

J'ai pensé qu'il le mettait pour moi. Que c'était une façon de me dire : à nous.

Et puis j'ai vu que non. Qu'il le mettait parce qu'il l'aimait. Parce qu'il continuait très sincèrement de l'aimer, tout simplement. Parce que cela restait pour lui, vingt ans après encore, le morceau absolu. Celui des moments de grâce. Celui des instants où on voudrait que la musique arrive à dire tout le bonheur d'une soirée.

Le piano de *Mood Indigo* a démarré à 200 à l'heure, frénétique, fou, déchaîné. La voix de Nina Simone s'est mise à vibrer, extraordinairement vivante malgré les paroles tristes à mourir. *I'm so lonely I could cry.* Jeanne et Marie se sont levées. J'ai regardé l'autostoppeur heureux, debout, en train de danser déjà. J'ai souri de lui découvrir cette faiblesse : n'avoir pas bougé musicalement d'un pouce en vingt ans, lui l'éternel avide de nouveauté. Avoir, dans ce domaine au moins, lamentablement stagné. Ça m'a touché.

Tous les trois nous l'avons rejoint près des baffles, dans la musique.

Marie s'est serrée contre lui.

Je me suis approché de Jeanne et immédiatement nos corps se sont unis, je suis resté songeur de voir combien mes mains savaient d'instinct le chemin de ses hanches, combien nos bassins s'ajustaient sans y penser.

La chanson a duré trois minutes, et puis quatre, et toujours mon corps et celui de Jeanne se serraient plus, se désiraient davantage, c'était bon.

Et puis l'autostoppeur a mis une autre chanson et il n'allait tout de même pas danser une deuxième fois d'affilée avec Marie, alors il a pris Jeanne par la main. Je me suis retrouvé seul, Marie aussi. Nous nous sommes regardés d'un air de penser la même chose.

Puisque ce sont eux qui le veulent. Puisque nous avons à peine le choix.

Elle est venue contre moi, ses joues un peu rougies par la danse avec l'autostoppeur, ses tempes et son front imperceptiblement perlés de sueur. J'ai senti la chaleur de ses mains, de ses épaules, de son cou. J'ai repensé au premier dimanche où je l'avais vue. À ce que j'avais ressenti en posant mes lèvres sur sa joue pour lui dire le plus innocent bonjour.

Nous avons dansé. La chanson était rapide. Marie s'est amusée de voir que j'accélérais. Que sans effort nos corps prenaient peu à peu le pouls rapide de la musique, s'y épanouissaient. Elle a ri de notre entente. De la facilité avec laquelle nous nous trouvions. Nous avons vu que nous pouvions. Que ce ne serait jamais un problème pour nous deux, nous trouver. Elle a ouvert les bras, s'est mise à danser devant moi. Pour moi. J'ai regardé ses poignets fins. Ses bras fins. Sa tête fine, tenue bien haut. Ses yeux joyeux et fiers, pleins de défi. Sa taille toute proche, tendue vers moi pour que je l'attrape, l'enlace.

J'ai repris ses mains dans les miennes. Nous nous sommes rapprochés. Elle s'est arrêtée une seconde pour enlever son pull et le jeter sur une chaise, est revenue contre moi en tee-shirt, ses épaules nues à présent. J'ai posé la main sur mon cœur et j'ai montré en rigolant qu'il battait, battait comme le cœur de tous les danseurs vaincus, énamourés. Elle a ri. J'ai vu qu'à côté de nous l'autostoppeur et Jeanne aussi riaient. Qu'ils ne nous regardaient pas un instant.

Il y a eu un troisième morceau, Jeanne est revenue dans mes bras. Nous avons tourné tous les quatre, parvenant à faire durer plus longtemps que de coutume cette situation où il est rare que le désir monte, quatre est un chiffre trop carré, deux et deux. Et puis un morceau moins entraînant a brisé l'élan. Jeanne a dit en nous embrassant qu'il fallait qu'elle parte.

Je bosse à 8 heures demain mais quelle soirée.

J'ai pris mes affaires aussi. Remis mon pull, pendant que Marie se resservait un dernier verre.

La musique était arrêtée à présent, tout était redevenu calme.

Nous sommes ressortis dans le jardin, avons fait deux ou trois allers-retours pour rapporter à la cuisine les verres et les bouteilles vides.

Dehors la température avait encore fraîchi.

Est-ce que tu ne vas pas attraper froid comme ça, m'a dit Jeanne.

Ça va aller.

Attends on va te trouver un manteau ou quelque chose, a dit l'autostoppeur.

Marie s'est approchée, m'a tendu son écharpe.

Tiens.

Une fine écharpe en cachemire noir.

Prends-la Marie a raison, a dit Jeanne.

Tu me la rendras la prochaine fois qu'on se verra.

J'ai mis l'écharpe autour de mon cou. J'ai senti l'odeur de Marie. La douceur du cachemire comme une caresse.

Cette nuit-là Jeanne est revenue dormir chez moi. C'était la deuxième nuit que nous passions ensemble et ce fut bon. J'ai toujours préféré les deuxièmes fois. On se connaît. On a repensé à la première fois. On a eu le temps de couver de nouveaux désirs, de comprendre après coup des préférences de l'autre à peine soufflées. La deuxième fois c'est encore meilleur.

Cette fois-là n'a pas dérogé à la règle, à ma règle en tout cas.

Le matin Jeanne est partie. Je suis resté seul.

J'ai mis de la musique. Un morceau, et puis un autre. Je suis allé prendre une douche. J'ai senti mon ventre creusé, vidé.

Et puis pendant que j'étais sous la douche il y a eu ce morceau. Le morceau sur lequel j'avais dansé avec Marie.

J'ai revu Marie contre moi. J'ai eu envie d'être avec elle. Je me suis senti triste.

Rhabillé, j'ai vu son écharpe posée sur ma chaise.

Je l'ai enroulée autour de mon cou.

Je suis sorti.

En ville j'ai croisé l'autostoppeur.

C'était chouette, j'ai dit en l'embrassant.

Il a acquiescé. Et puis j'ai vu qu'il regardait mon cou. Qu'il avait les yeux fixés sur l'écharpe de Marie. Qu'il souriait de me voir la porter ainsi, sans plus même y penser.

J'ai enlevé l'écharpe, je la lui ai tendue.

J'allais te la rendre.

J'ai senti qu'il hésitait, qu'il ne savait pas s'il devait la reprendre.

Finalement il l'a passée autour de son cou. L'a nouée par-devant, maladroitement, d'un gros nœud plat.

Je repars demain, il a dit d'une voix douce.

10

Maintenant l'autostoppeur partait plus souvent. Avec Marie nous restions parfois plusieurs jours sans nous faire signe. Puis au contraire nous nous retrouvions deux jours d'affilée, avec Agustín ou sans lui, allions à un concert ou à une soirée, recommencions de nous voir le lendemain, allions ensemble acheter de la peinture, des chevilles, une nouvelle perceuse, un nouveau bureau pour Agustín, une table de tapissier pour mes tableaux.

Marie me parlait de sa traduction, me racontait ses hésitations entre deux tournures, s'amusait qu'aucun mot français ne dise exactement ce que disait l'italien. De toute façon avec les mots c'est toujours pareil, elle souriait, le sens glisse, dérape par rapport à l'intention qu'on avait, il dérape en italien comme en français, les mots toujours débordent, c'est le jeu, ce qu'il faut simplement c'est choisir entre les glissades, sentir quelle glissade française sera la plus fidèle à la glissade italienne.

Elle comparait les mots à de vieux soldats au service de la langue depuis des siècles. Elle disait qu'ils ne nous arrivaient pas tout neufs, qu'ils avaient servi dans bien des batailles avant les nôtres. Que choisir un mot plutôt qu'un autre c'était faire entrer dans son livre un vétéran avec toute une histoire, toute une mémoire, il ne fallait pas se tromper ou c'était la troupe entière des mots choisis jusque-là qui risquait de se trouver dépareillée.

D'autres fois encore elle balayait tout ça d'un sourire. Elle disait qu'il ne fallait pas trop réfléchir. Qu'après tout la seule chose qui comptait c'était de capter et de rendre un souffle. Comme quand on donne un baiser, elle disait, et elle me laissait seul dans le jardin le temps d'aller remplir la théière.

Savoir l'autostoppeur sur la route, paradoxalement, nous le rendait plus proche. Nous nous demandions où il était, ce qu'il vivait, dans quelle voiture il roulait, à côté de qui. Même absent, il nous accompagnait. Était comme à côté de nous, à nous prendre le bras, nous parler. Nous rappeler sans cesse à l'exigence de vivre.

Assis à mon bureau, il m'arrivait de l'imaginer posté au même moment sur le bord d'un rond-point, sac de voyage jeté par-dessus l'épaule, improbable et donquichottesque silhouette, bientôt la quarantaine, père depuis des années, son jean foncé toujours propre, son manteau bleu reconnaissable même de loin. Je le voyais debout dans le froid de la fin d'automne à la sortie d'une ville moyenne de l'Ouest, au beau milieu d'un carrefour flanqué de commerces en préfabriqués, entre un Kiabi et un Aubert défraîchis, pancarte brandie dans le matin morne, ne devant qu'à sa faculté d'autopersuasion surdéveloppée de ne pas se laisser gagner par le désespoir. Plein du même allant qu'à l'époque où nous partions ensemble sur les routes, et déjà nous étions des dinosaures, déjà le temps des autostoppeurs était révolu, et je m'amusais de voir que cela ne le dérangeait pas, qu'au contraire notre anachronisme le dopait, l'exaltait.

Certains jours j'allais prendre le train. Il faisait froid désormais et les salles d'attente des gares avaient ce côté cour des miracles qu'elles prennent l'hiver, havres d'air chaud où viennent se réfugier tous les congelés de la ville. Parmi les sans-toit qui étaient là, engourdis, somnolents, entourés de cabas Monoprix ou Leclerc, enveloppés de châles, de couvertures, amas de tissus eux-mêmes, boules de linge serrées contre d'autres boules de linge qui étaient leurs enfants, leurs affaires, leurs caddies, leurs chiens – au milieu de ceux-là je reconnaissais des silhouettes venues d'un autre monde, dormeurs-à-même-le-sol par choix, rouleurs-de-bosse par vocation, pareils à celui que j'avais été autrefois. Voyageurs fatigués mais en chemin, poussés par le besoin de se frotter à la vie, aux épreuves, au bitume. La plupart seuls, chevelus, hirsutes, sans le sou. Certains en couple. Presque tous joviaux malgré leur crasse. Aisément repérables à leur vitalité, au milieu des autres, les vrais immobiles, les sans-issue, les coincés-là, entre les murs de ces limbes.

Plus encore que leurs cheveux longs et leurs habits sales, c'était leur rapport au sol qui me frappait. Leur habitude du contact avec le bitume et le carrelage. Leur affranchissement de toute gêne. Comme une rupture consommée avec l'exigence de station debout. Une délivrance des interdits habituellement incorporés à notre insu, ne pas s'affaler, ne pas se répandre, ne pas encombrer, toute une morale du quant-à-soi, du non-étalement, du corset. Morale du respect du voisin et des bornes, du découpage du sol en parcelles aux frontières bien délimitées. Eux indifférents à tout ça. Comme déverrouillés. Émancipés. Leur corps désentravé, devenu maître dans l'art d'occuper l'espace, de s'y nicher, de s'y lover. Je les regardais étalés au sol et je me rappelais brusquement ce que j'avais parfaitement su jadis : qu'être sur la route, c'était ça. Cet affalement. Ce lâcher-prise.

Je me rappelais mes propres années sur la route. Cette nuit passée à Otrante sous le porche d'une église, une nuit venteuse de décembre, à demi congelé dans mon duvet trop fin, étalé en travers de l'entrée, à même la dalle de marbre du pavement. Et les phares d'une voiture qui au milieu de la nuit s'étaient soudain braqués sur moi, me tirant d'une somnolence qui n'arrivait de toute façon pas à se transformer en vrai sommeil, le vent trop froid, la pierre trop dure, trop glacée. *Carabinieri!* Les flics. Une pleine voiture de flics qui étaient venus me réveiller, me demander ce que je foutais là, pourquoi je n'étais pas descendu dans un des hôtels de la ville. À quoi j'avais répondu une partie de la vérité – que je manquais d'argent. Je n'avais pas dit l'autre : que je voulais essayer. Voir ce que cela faisait, une nuit dans la rue l'hiver. Savoir. Quelques minutes plus tard, retourné à ma somnolence semi-congelée, j'avais entendu la voiture revenir, les phares m'éclairer à nouveau. Sans plus dire un mot cette fois, le plus discrètement possible, comme si leurs phares en pleine poire avaient la moindre chance de passer inaperçus, les policiers étaient venus me recouvrir de cartons. Me border comme un bébé. Je m'étais marré, je les avais remerciés en répétant *grazie, grazie mille*. Et je m'étais rassoupi, réchauffé.

Étais-je encore capable de nuits comme celle-là ? Était-ce une faculté qui une fois acquise ne se perdait plus ? J'étais de ceux qui ne s'étalent plus. Qui n'ont plus le temps. Enfant on rampe. On tombe. On sait le sol par les pieds et les mains. Intimement. Puis le sol s'éloigne. Être adulte c'est ne plus savoir tomber. C'est vivre dans un corps qui a perdu la mémoire du sol, qui ne sait plus vivre avec lui, qui en a peur.

Arrivait-il encore à l'autostoppeur de s'affaler ? Je l'imaginais plus digne. Habits propres. Barbe rasée. Silhouette tout entière *tenue*, c'est le mot qui me vient. Refusant de céder au cliché du hobo. Préférant rester quarante-huit heures éveillé plutôt que de verser dans l'imagerie du baroudeur hirsute. Conservant la même élégance qu'alors déjà, à l'époque où si l'un de nous deux pouvait se faire traiter de zingaro, c'était moi, pas lui.

11

Marie et Agustín attendaient ses appels. Agustín surtout les attendait. L'autostoppeur ne faisait jamais de promesses, ne fixait pas de rendez-vous. Mais tout de même : des habitudes s'installaient. Le lundi matin avant le départ à l'école. Le jeudi soir. Pourquoi le jeudi et pas le mercredi ni le vendredi ?

Agustín repérait ces récurrences, goûtait ce semblant de routine, se prenait à anticiper les appels. Marie racontait ses jeux dans le salon les lundis matin, à deux pas du téléphone, son petit déjeuner avalé. Ses parties de playmobil au pied du canapé pour tromper l'attente. Ses efforts pour rester calme lorsque enfin le téléphone sonnait et qu'un numéro inconnu s'affichait, précédé d'un indicatif inhabituel. La hâte avec laquelle il décrochait et se mettait aussitôt à parler à son père, comme s'ils ne faisaient que reprendre une conversation interrompue la veille au soir. Ses ruses pour prolonger l'échange aussi longtemps que possible, comme si dehors sur le trottoir les autres enfants n'étaient pas déjà à se presser, les parents à les pousser en les haranguant, avancez les enfants allez vous voyez bien qu'on est les derniers, avancez nom de dieu grouillez-vous ça va fermer.

Agustín pendant ce temps imperturbable.

Et là papa tu fais quoi. Tu l'as pris où ton petit déjeuner. Tu l'as bu comment ton café, allongé ou ristretto.

Prononçant *ristretto* en s'appliquant à bien rouler le *r* comme l'autostoppeur lui avait appris la dernière fois qu'ils s'étaient vus.

Reposant le téléphone à la fin avec une tranquillité insolente et marchant vers la porte rejoindre Marie déjà manteau sur les épaules. S'en allant tous les deux dans le froid, comme à l'abri de tout à présent, étrangers à l'absurde précipitation générale, dégagés de toute urgence. Marchant d'un pas paisible vers l'école et arrivant les derniers, mais à temps. Avec une sérénité qui faisait de toute façon retomber aussitôt l'impatience du préposé au portail, toute colère dérisoire devant la paix de ces deux-là, tout reproche inélégant, le type lui-même forcé de le sentir, de hausser les épaules avec un sourire indulgent et de rassurer Marie en l'entendant commencer à demander pardon.

Il est 8 h 32 et alors. Vous avez deux minutes de retard qu'est-ce que ça peut bien faire est-ce que ça ne nous est pas arrivé à tous.

Parfois aussi le téléphone restait muet.

Agustín attendait sans bouger sur le canapé. Il ne disait rien, ne montrait nulle déception, se contentait de continuer à lire en silence, absorbé, calme. Marie regardait les minutes passer au cadran du réveil, regardait le gamin s'appliquer à faire comme si de rien n'était, comme s'il n'espérait pas du tout un coup de fil de son père, comme si peu lui importait que le téléphone sonne ou non. Le bruit des enfants passant sur le trottoir montait peu à peu, franchissait les murs, emplissait le salon, atteignait son pic pendant cinq minutes, puis commençait à refluer. Bientôt ne s'entendaient plus que quelques éclats de voix sporadiques. Agustín se levait et allait mettre son manteau sans dire un mot. Ils ouvraient tous deux la porte, prenaient dans le froid le chemin de l'école.

Il a dû avoir un empêchement.

Il doit être dans un coin paumé c'est pas grave il appellera jeudi.

Marie levait les yeux vers le visage d'Agustín. Regardait la frimousse du gamin fièrement tendue dans le refus de se laisser abattre.

C'est leur faute aussi ils enlèvent partout les cabines comment tu veux qu'il fasse.

Marie lui passait doucement la main dans les cheveux, murmurait oui.

On l'aura jeudi t'as raison il sera dans un meilleur endroit.

Ajoutait je t'aime. Je t'aime mon garçon tu sais. Déposait un dernier baiser dans ses cheveux avant de le regarder s'engouffrer dans la cour d'école, s'élancer déjà vers les autres garçons en les hélant.

Aram. Gaspar.

Parfois le jeudi soir non plus l'appel ne venait pas.

Il y avait des signes annonciateurs, pas de coup de fil le lundi précédent, pas de carte reçue depuis longtemps. Ils avalaient tous les deux une assiette de soupe ou une pizza qu'ils allaient chercher au Petit Naples. Puis Marie mettait un film. Certains soirs j'étais là et nous nous installions tous les trois devant un Clint Eastwood ou un Pierre Richard.

D'autres fois je retrouvais Marie et je comprenais qu'elle avait eu des nouvelles. Je la sentais loin de moi, comme en allée elle aussi, liée à l'autostoppeur par un lien reformé, raffermi. Elle me disait, il est en Champagne, il est dans le Pays basque, il est du côté de Montluçon. Cela d'un ton calme. Heureux. Amoureux. Il est sur les plages de Vendée tu te rends compte, il a la belle vie quand même le salaud, cela dit avec un rire ravi et j'avais l'impression qu'elle revenait de là-bas, qu'ils ne venaient pas seulement de se parler mais de se voir, que sur son visage à elle aussi un peu de la lumière de la plage continuait de briller.

Devine où il a dormi hier soir.

Devine où il a passé la nuit roulé dans son foutu duvet, il est fou, devine, dans un hangar à planches à voile, est-ce que tu peux le croire, dans un hangar à planches à voile non mais qui m'a fait un mec pareil, et racontant cela je pouvais voir qu'elle était fière, mon mec dort en novembre dans un hangar à planches à voile et m'appelle à l'aube pour me dire qu'il m'aime, je sentais que cette pensée lui plaisait, qu'elle goûtait leur liberté à tous les deux, celle de l'autostoppeur mais la sienne aussi, sa liberté de femme capable d'aimer un homme au loin, de l'aimer même sur les routes, même absent, de l'aimer avec ces absences – pour ces absences.

12

À chaque retour, Agustín interrogeait longuement son père. Le questionnait sur l'autostop, sur les automobilistes, sur les endroits qu'il avait vus. Lui demandait ce qu'on cultivait dans les régions qu'il avait traversées. Comment y étaient bâties les maisons.

Si ça continue je vais devenir spécialiste de la France, disait l'autostoppeur en se marrant.

Et puis il se reprenait.

Enfin de la France. De ses autoroutes. De ses entrées et ses sorties d'autoroutes.

Il savait toutes les aires de stationnement. Il pouvait dire les stations-service les moins chères, les plus accueillantes, les mieux arborées. Celles où les gérants de la cafétéria le laissaient en paix. Il savait celles qui fermaient la nuit, et où vous pouviez être sûr d'attendre jusqu'au lendemain matin. Celles qui au contraire demeuraient ouvertes vingt-quatre heures sur vingt-quatre. Celles qui, en aval d'une grande ville ou d'une longue section sans arrêt possible, étaient prises d'assaut par les conducteurs.

Les meilleures aires d'autoroute de France, je vais bientôt pouvoir en faire un guide, il disait en riant, et par meilleures il allait de soi qu'il entendait les plus hospitalières, les plus favorables aux voyageurs comme lui, propices non seulement à une agréable attente mais encore à la rencontre rapide d'automobilistes s'en allant loin, et dans la direction souhaitée, et avec des places à leur bord.

Ajoutant c'est comme au jeu de l'oie au fond : il y a des mauvaises cases et des bonnes. Le cruel paradoxe étant que plus une aire est hospitalière, plus vite en général on en repart – au contraire des inhospitalières où on peut rester enlisé des heures.

Mais tu fais comment, demandait Agustín. Quand tu arrives sur une aire tu fais quoi tu dis quoi.

L'autostoppeur prenait le gamin sur ses genoux, l'enveloppait de ses bras en lui parlant.

Comment tu veux que je fasse. Je fais comme tout le monde. Je vais tranquillement boire un café, je vais aux toilettes. Parfois je m'achète une pomme ou quelque chose à manger. Je fais une pause. Je prends mon temps. Les autres me voient, se rendent bien compte qu'on est pareils au fond, on mange le même sandwich, on boit le même café.

Il racontait les échanges de regards. L'importance de cette entente discrète, à peine un sourire par lequel il entrait en contact avec un automobiliste au visage sympathique, prenait presque rendez-vous avec lui, lui laissait entendre qu'il le solliciterait, mais dans quelques minutes seulement, une fois satisfaites les urgences bien compréhensibles du moment, aller pisser un coup, se restaurer, se détendre.

Il décrivait l'instant étrange où le marché est conclu, l'accord passé, et alors en un éclair le jeu d'interpellation muette s'interrompt, d'un coup il n'est plus de la moindre utilité, il n'y a plus à convaincre, simplement à attendre la traduction en actes de la promesse tacitement faite. L'automobiliste et l'autostoppeur à partir de ce moment liés. Traversés par cette même pensée : tout à l'heure, dans quelques minutes à peine, nous serons assis côte à côte dans le même habitacle, nous nous parlerons, nous nous raconterons mutuellement nos journées, échangerons nos vues sur la vie, en saurons plus l'un sur l'autre que n'en savent certains de nos amis les plus proches.

Un jour il faudra que tu écrives sur les habitacles de voiture, il me disait en se tournant vers moi devant son fils, comme si la répartition des tâches entre nous devait éternellement être celle-là, lui vivre, moi écrire, cela inéluctablement, sans que jamais ni l'un ni l'autre échappe à son destin. Un jour il faudra que tu essaies de dire tout ce que ces intérieurs feutrés racontent sitôt qu'on y pénètre. L'habitacle et son occupant comme un monde éphémère, une parenthèse, une île. L'intimité soudain des corps, des manies, des gestes. La place prise par le moindre gargouillis, la moindre odeur immédiatement décelée par les deux nez placés en cohabitation. L'impossibilité d'échapper aux sens de l'autre. L'impossibilité symétrique de soustraire ses propres sens à la présence physique du voisin. Au volume de son corps. Chacun des deux passagers mis à nu. Prisonnier du même air confiné que son voisin. Condamné à partager chaque sms, chaque appel, chaque velléité d'appel. Le même huis clos qu'à bord d'un petit bateau mais sans l'échappée du grand air. Sans la lessive rafraîchissante du large.

13

Les soirs où il venait chez moi nous nous installions devant la fenêtre et restions là, à parler en regardant la ville plongée dans le début de l'hiver, toutes vitres fermées, intérieurs allumés dès 6 heures du soir. Nous savourions la douceur de discuter librement, certains de n'être entendus de personne. Nous parlions, cessions de parler, demeurions de longs moments silencieux, à simplement regarder l'immeuble d'en face et les toits alentour, à écouter le mistral siffler dans la rue, faire claquer çà et là un volet. C'était comme si après des journées entières sur les routes il lâchait prise, se reposait, se laissait enfin aller.

Il me racontait ses automobilistes. Les bavards. Les forts en gueule. Les philosophes. Les pressés. Les calmes. Nous parlions jusque tard et à mesure que l'heure passait les lumières aux fenêtres des immeubles s'éteignaient, la nuit gagnait. Avant de partir il jetait un œil à mes dernières toiles, s'absorbait dans la lecture des centaines de lignes serrées entre les bords de chaque cadre, prenait le temps de déchiffrer même les pattes de mouche les plus difficilement lisibles, acquiesçait avec un enthousiasme exagéré mais qui faisait du bien, l'exact enthousiasme dont j'avais besoin.

Parfois c'était moi qui allais dîner chez lui. J'arrivais après le coucher d'Agustín. Marie descendait se mettre à table avec nous, restait une heure ou deux, remontait travailler ou sortait rejoindre Jeanne et des amis. L'autostoppeur attrapait sur l'étagère la bouteille de rhum arrangé, nous en versait deux verres.

Au fait est-ce que je t'ai raconté Fabienne, cette psychiatre qui m'a conduit de Lorient à Paris.

Est-ce que je t'ai raconté Thierry qui ne devait au départ me dépanner que 30 bornes et qui m'a finalement gardé cinq heures.

Est-ce que je t'ai parlé de Georges, ce musicien qui collectionnait les guitares et avait autrefois enregistré un morceau d'une demi-heure avec Deleuze lisant des bouts du *Voyageur* de Nietzsche.

Est-ce que je t'ai raconté Alexandre, un étudiant d'Amiens qui m'a dit ben l'amour j'en reviens, là tout de suite j'en sors, enfin je sais pas si c'était l'amour, ça fait six ans qu'on se voit et j'ai l'impression qu'elle s'attache mais moi je sens toujours rien, peut-être qu'il faudrait qu'un jour j'arrive à lui dire.

Est-ce que je t'ai raconté Martine qui avait rencontré Jean-Pierre dans une boîte de nuit des environs de La Roche et continuait de l'aimer très fort trente ans après, lorsqu'elle m'a pris elle avait oublié son sac dans une maison où elle venait de terminer un ménage et c'est en me voyant m'installer sur le siège passager qu'elle s'en est aperçue, ensemble nous avons fait demi-tour pour retourner le chercher, quand nous sommes arrivés elle l'a tout de suite vu, les propriétaires de la maison l'avaient déposé devant l'entrée pour ne pas avoir à rouvrir la porte, Martine s'est contentée de ramasser le sac, elle est remontée en voiture et nous sommes repartis.

Est-ce que je t'ai raconté Sabrina qui allait retrouver Jonathan près d'Olonne et qui a tout d'un coup dit qu'elle ne l'aimait plus, il faut que je le quitte, cela d'un ton résolu, comme une promesse, là j'y vais comme chaque semaine comme chaque vendredi soir je vais gentiment le retrouver il ne se doute de rien m'attend comme si nous allions faire notre vie ensemble mais moi je sais que c'est fini, je veux que ça s'arrête, elle avait encore attendu et elle avait soufflé je n'en peux plus, elle avait fait de son mieux pour retenir ses larmes, elle m'avait regardé en souriant pour s'excuser, ça fait un an que j'essaie, je vide un peu mon sac pardon mais c'est exprès, je me dis que ça me donnera peut-être le courage de le quitter tout à l'heure.

Est-ce que je t'ai raconté ce très vieux monsieur qui à peine la portière refermée m'a dit, vous êtes le deuxième autostoppeur que je prends dans ma vie, le premier c'était il y a quarante ans, et il m'a raconté le souvenir qu'il en gardait, étrange, presque irréel, le type en question ne voulait pas lui dire son métier, il était bien habillé, avait l'air sûr de lui, il se contentait de répéter qu'il était haut fonctionnaire de la République, haut fonctionnaire dans quelle branche avait plusieurs fois demandé le conducteur, jusqu'au moment où n'y tenant plus l'autre avait fini par lâcher je suis bourreau, cela du ton le plus ordinaire possible, je suis le bourreau de la République, le précédent bourreau était mon oncle et maintenant le bourreau c'est moi, c'est le titre officiel, bourreau, la guillotine les têtes coupées tout ça c'est moi, cela se passait en 1977, quatre ans avant l'abolition de la peine de mort et les mois suivants deux exécutions avaient encore eu lieu, les deux dernières de l'histoire de France, l'une et l'autre largement commentées par les journaux, la dernière racontée avec une révolte froide par la juge commise d'office Monique Mabelly qui rapporte notamment cette blague sinistre du fameux bourreau au moment d'ôter les menottes au condamné à mort réveillé à 4 heures du matin, ce mot horrible et tragique, écrit-elle exactement, eh bien vous voyez vous êtes libre – cela avant de lui tendre sa dernière cigarette, son dernier verre de rhum, et de lui couper la tête.

14

Les absences de l'autostoppeur duraient une semaine, parfois deux. Je voyais Agustín presque tous les jours. J'allais parfois le chercher à l'école pour dépanner Marie. Il m'apercevait debout parmi les parents postés devant l'école et aussitôt il savait, venait vers moi sans résistance, ne marquait pas de déception, pas non plus de joie particulière. Simplement il venait. Je n'avais pas besoin de lui expliquer pourquoi j'étais là. Nous partions tous les deux. Je lui demandais ce qu'il voulait faire. Je l'emmenais manger une crêpe, ou emprunter des livres à la médiathèque, ou voir un film au cinéma.

Je me gardais bien d'aborder avec lui le sujet.

Ça va ton père ne te manque pas trop.

Le genre de phrase qui l'aurait mis hors de lui, l'aurait fait me regarder avec toute la fureur dont étaient capables ses yeux noirs, et j'aurais eu l'impression de ruiner en un éclair toute la confiance lentement bâtie entre nous.

Certains après-midi nous prenions nous aussi une

carte, l'étalions devant nous comme le plan d'une île au trésor. Essayions de deviner où il pouvait être. Chacun son tour, à la manière de rebouteux ou de sourciers, nous laissions notre doigt tomber sur le papier. Là où il se posait nous tracions une petite croix, inscrivions soigneusement le jour et l'heure : lundi 18 novembre, 17h39, A55, à mi-chemin d'Oraison et de Sisteron. Mardi 19 novembre, 19h23, D765, tronçon Roubaix-Tourcoing.

Qu'on puisse lui demander quand il rentrera.

Qu'on sache si par hasard notre petit doigt n'a pas dit vrai.

Nous changions de sujet, recommencions à dessiner, à lire *Jonathan Livingstone le goéland*, à parler des règles du foot, du dernier film vu ensemble, de telle ou telle chanson entendue à la radio.

J'étais joyeux avec Agustín, il l'était avec moi ; c'était notre règle. Je pouvais bien être inquiet. Ce qu'il voulait c'était que je me taise. Même maladroitement, même sans talent : qu'au moins je joue la tranquillité. C'était le genre de gamin qui d'emblée savait. Sentait ce que vous pensiez, si le temps que vous passiez avec lui était plaisir ou corvée. Il vous rendait l'exacte monnaie de votre pièce. Pas ce que vous pensiez donner. Pas les cadeaux dont vous le couvriez. Non : la réelle affection que vous lui portiez ou non.

Les absences de son père étaient entre nous comme un gouffre. Une zone interdite. Un massif de silence que ni lui ni moi n'avions le droit de briser.

Il arrivait qu'avant de partir l'autostoppeur nous dise

vaguement son but. Désigne sur la carte un pan de territoire encore à peu près vide de trajets reportés au feutre. Le Morvan. La Marne. La frontière avec l'Allemagne. Le Cantal. Comme une destination approximative, une première zone d'exploration visée, qui s'élargirait peut-être ensuite. À laquelle sans doute s'en substituerait bientôt une autre, mais tout de même : à peu près le coin où il serait d'abord.

Cela nous permettait de resserrer le périmètre de nos projections.

Ça ressemble à quoi le Morvan, me demandait Agustín.

Je lui racontais les forêts de feuillus, la rondeur des collines, les troupeaux de vaches, l'eau des rivières, les canaux, les écluses, les scieries. J'ouvrais le *Guide des arbres*. J'allais voir sur Google Images. Je regardais l'écran se couvrir de paysages vert chlorophylle, morceaux détachés d'un monde tout entier fait de forêts, de rivières, de galets. Je montrais à Agustín les clochers çà et là, les toits d'ardoise, les ponts sur les rivières. Je tapais le nom des aires d'autoroute du coin. Genetoy. La Chaponne. Hervaux. Montmorency. Ruffey. Je les regardais du ciel, plus ou moins vastes, pareilles de chaque côté du ruban gris de l'autoroute à deux excroissances en formes d'oreilles, piquées de taches brillantes de voitures.

Agustín en avait assez et se remettait à jouer. Je continuais seul, remontais le long de l'autoroute, imaginais l'autostoppeur quelque part sur ce ruban, au cœur de cette coulée, regardant glisser le long des vitres le flux ininterrompu des forêts, des champs, des remblais invariablement boisés des mêmes hêtres et des mêmes charmes, défiler les mêmes vignes aux ceps déplumés par l'automne, les mêmes champs d'artichauts gris pâle, les mêmes allées de luzerne, les mêmes guérets, les mêmes étendues bâchées de longues bandes de plastique noir ou blanc, les mêmes vaches, les mêmes bocages, les mêmes rideaux de peupliers coupe-vent, les mêmes clochers de villages au loin, les mêmes panneaux criards de zones commerciales traversées sous un ciel bas, les mêmes panneaux d'entrée et de sortie de ville, Saint-Étienne-du-Mont, Saillans, Port-sur-Saône, Athis, Grès, Saint-Martin-de-Crau, Loudéac, Givors, Bourg-Saint-Andéol, Pont-Saint-Esprit, Montaigu, La Tranche-sur-Mer, Limoges, Bayonne.

La France.

Cette entité extraordinairement vague et circonscrite à la fois, à l'assaut de laquelle il partait toujours plus ou moins en s'en allant sur les routes.

Je reste en France.

Réponse qu'il faisait à ceux qui lui demandaient où il allait.

Je reste en France comme si cela devait les rassurer, comme si la France était une pièce de croûte terrestre suffisamment familière pour qu'ils n'aient pas à s'en faire.

Je reste en France comme il aurait dit je ne vais pas plus loin que le café du coin, ne vous en faites pas, n'allez surtout pas penser que je fais un grand voyage, pas du tout, je reste là, je suis tout près. Comme si la France ne faisait pas 643 000 kilomètres carrés, n'allait pas de la Bretagne à Nice, d'Hendaye à Remiremont. Je reste en France comme si le reste n'était qu'anecdote, les différences entre la Haute-Savoie et les Landes rien de plus que les avantages comparatifs qu'on peut toujours trouver à deux cafés mitoyens de la même place du village, l'écart de température et les 1 000 kilomètres séparant la Lorraine de la Côte d'Azur aussi indifférents que les quelques pas de plus ou de moins à faire pour se retrouver à un bout ou à un autre de la grand-rue d'un bourg.

Certains se moquaient, lui reprochaient de ne rien visiter, de ne jamais s'arrêter nulle part.

La France la France mais qu'en vois-tu, raillaient-ils. Qu'en comprends-tu toi qui te contentes pour l'essentiel de la traverser à 130 à l'heure. Toi qui ne quittes jamais l'autoroute ou seulement le temps d'un arrêt au Formule 1 le plus proche.

Il ne se démontait pas. Arborait son plus grand sourire avant de laisser tomber sa réponse.

Et alors.

Et alors est-ce qu'après tout la France ce n'est pas ça.

Est-ce qu'aujourd'hui pour la plupart d'entre nous elle n'existe pas d'abord sous ce rapport : des forêts et des champs regardés par les vitres de nos voitures ou du TGV. Un bloc de vert et de brun entrevu par-delà une rambarde d'autoroute dont chacun de nous pouvait décrire, pour l'avoir longée mille fois, le renflement, le poli, les diaprures, les rivets.

La rambarde nationale vrai trait d'union de notre territoire, s'amusait-il, de la Provence aux Flandres, du Jura aux Landes. Vrai marqueur de cette francité que certains cherchent partout sans la trouver, comme la rambarde allemande l'est probablement d'alémanité, la rambarde italienne d'italianité.

Il soutenait qu'il n'y avait rien d'autre à chercher. Que la France c'était ça : le trait horizontal d'une rambarde, et par-dessus la rambarde un clocher d'église qui glissait au loin, la grappe de maisons d'un village déjà disparu, mangé par les halliers et les boqueteaux d'arbres, ravalé par les courbes du relief, le brouillard, les tons pâles des collines et de la plaine. Et de nouveau alentour le vide, les champs, les sillons des labours. De nouveau cette toile semi-abstraite regardée mille fois sans y penser et pourtant infusée année après année en nous. Devenue si intime à nos sens qu'elle finissait par nous habiter, et si d'aventure nous franchissions les Pyrénées et passions en Espagne ou franchissions le Rhin pour entrer en Allemagne aussitôt nous le savions, un inexplicable dépaysement nous en avertissait, nous n'étions plus en France et tout de suite une voix nous le soufflait.

Il aimait les panneaux marron qui bordaient l'autoroute. Les noms illustres lus au milieu du paysage désert, à l'aplomb de la bande d'arrêt d'urgence : La grotte de Lascaux, L'abbaye du Thoronet, Le pont du Gard, Le massif du Luberon, Les jardins de Valloires, Le lac du Salagou. Il les contemplait avec enthousiasme, cherchait au loin dans la direction indiquée par la flèche.

S'amusait de n'apercevoir que du vide, des arbres, un pan de colline parfaitement désert. Comme si les panneaux marron avaient moins vocation à nous conduire où que ce soit, disait-il, qu'à simplement faire vibrer ces noms dans le paysage. Le charger de leur aura. Nous rappeler notre chance d'habiter pareil pays, la France, réserve de sites d'exception qu'un jour nous pourrions décider de visiter, même si en attendant nous continuons de filer en cinquième, fendant le décor à lentes ondulations, lents coups de volant, plis et déplis calmes des lignes des collines, danse lente et souple du paysage-tortue, balancement d'éléphant des montagnes et des plaines tout doucement déplacées.

Il aimait les autoroutes. La glissade des autoroutes. L'impossibilité de faire marche arrière. Sur l'autoroute on ne se retourne jamais, il disait. Pas de place pour le repentir. On s'arrête le temps de franchir un péage, de refaire le plein. Et on repart. Marche avant, toujours. On avale l'espace. On le vainc. On le mange. Arrivée prévue dans 5 heures et 7 minutes, annonce le GPS. Arrivée dans 3 heures et 23 minutes. Arrivée dans 53 minutes. Ce n'est plus de l'espace. C'est du temps. Une pure quantité de temps qu'on regarde fondre.

Il y a ceux qui se tiennent au bord du fleuve, il répétait. Et il y a ceux qui *sont* le fleuve.

Il soutenait que c'était la petite ferme située de l'autre côté de la rambarde qui ratait la France, certainement pas lui.

15

Je le dis haut et fort: l'autostoppeur ne fuyait rien. Lorsqu'il était là, il était là tout entier. De bonne humeur. Enjoué. Il savait sa chance. Souvent je le regardais enlacer Marie, chercher du regard son approbation, s'efforcer de la faire rire. L'autostoppeur était amoureux, c'est une certitude. Il n'était pas de ces hommes qui étouffent, noyés, pressés d'oser enfin une embardée trop longtemps différée par manque de courage, prétendue fidélité – en fait simple défaut d'audace. Quoi de plus tristement banal qu'un homme qui ronge ses fers.

C'était comme s'il avait toujours besoin que sa trajectoire en frôle d'autres. Comme si son appétit, sa curiosité, sa faim lui rendaient viscéralement impossible de renoncer à la multitude des rencontres possibles. Peut-être avait-il, plus qu'un autre, conscience de la foule de vivants lancés en même temps que lui dans la folie de l'existence. Peut-être percevait-il avec plus d'acuité leur présence autour de lui, pareillement occupés à vivre, à aimer, à mourir.

J'ai vu peu de gens, dans ma vie, pour lesquels autrui n'était jamais un poids, jamais une fatigue, jamais un ennui. Toujours au contraire une chance. Une fête. La possibilité d'un supplément de vie. L'autostoppeur était de ces êtres. C'était comme s'il avait constamment à l'esprit la pensée que chaque être placé sur sa route ne le serait peut-être plus jamais. La conscience que s'il voulait le connaître, c'était maintenant. Il revenait au bout de deux semaines. Heureux de nous retrouver. Heureux de s'affaler à nouveau dans le confort de la maison, d'en savourer la paix. Il était l'homme qui rentre. Le mineur qui revient de sous terre. Le travailleur éternel qui s'effondre sur son lit après des semaines d'un corps-à-corps secret avec l'univers. Je le trouvais grandi. Forci. Encore forci. Devenu si fort que tout lui semblait bagatelle à présent. Il prenait Agustín et le soulevait jusqu'au plafond comme une plume. Le gamin riait. Riait de sentir les bras de son père remplis de cette force surhumaine. Je regardais le gamin collé au plafond, les bras de l'autostoppeur remplis d'une telle énergie que toutes les fatigues ne lui étaient plus rien.

Je me demandais quels obstacles il avait vaincus pour revenir ainsi. J'étais à côté de lui comme à côté d'une orange gorgée de jus, défendue par une écorce trop épaisse. Je le sentais plein. Peuplé du dedans, divers, nombreux. Hors de portée.

Il fallait du temps avant qu'il s'ouvre.

Quand il se remettait à parler enfin c'était doucement. Tout doucement. Comme si la paix retrouvée du foyer était ce qui lui avait fait le plus douloureusement défaut pendant son absence. Ce qu'il ne voulait plus jamais perdre.

Avec Marie nous restions à le regarder jouer avec Agustín dans le jardin. À regarder cet ogre. Cette force qui allait. Cet homme qui voulait tout. Qui avait tout.

Ils ont dû tenter de parler, Marie et lui.

Ils ont dû s'opposer.

J'imagine l'autostoppeur en train de lui faire cette proposition : et pourquoi pas partir en stop elle aussi.

Je le vois essayant de lui dire ça, ce grand fou : alternons.

Alternons je me charge de garder Agustín.

Cela dit en toute sincérité, persuadé sans doute de tenir une bonne idée.

Partons à tour de rôle, que tu puisses toi aussi t'en aller par les routes.

Elle le regardant avec de grands yeux tristes.

Ce fracasseur de leur vie.

Ce naufrageur de leur bonheur à tous les trois.

Se contentant probablement de répondre ces mots : je t'aime.

Je t'aime pourquoi ne restes-tu pas là tout simplement près de nous.

Pourquoi t'est-il à ce point impossible de tenir dix jours d'affilée en place.

16

Un matin c'est moi qui l'ai dépanné. Il avait traîné, s'était attardé chez lui à faire je ne sais quoi, flemmardant, moins pressé de repartir que d'habitude. Il a sonné chez moi vers midi passé, un maigre sac à l'épaule. L'hiver arrivait. Les journées étaient courtes. Il m'a demandé si je pouvais l'avancer. Le déposer à l'entrée de l'autoroute. Je lui ai dit que j'allais faire mieux : le conduire jusqu'à l'aire de Lançon.

C'est à une heure, il a d'abord refusé.

À quarante minutes, j'ai dit en haussant les épaules.

Il a souri.

Si tu as le temps je ne vais pas dire non.

Nous avons marché jusqu'à ma voiture. Il s'est assis à côté de moi. Nous sommes sortis de la ville. Avons pris la quatre-voies. Le paysage s'est mis à défiler. Les champs nus. La campagne plongée dans l'hiver. J'ai accéléré, doublé un camion, puis un autre. J'ai pensé comme lui sans doute : que pour la première fois, son autostoppé c'était moi.

À vingt ans, nous avions souvent fait étape ensemble à Lançon, déposés sur la gigantesque aire pour en redécoller quelques minutes plus tard à peine, emportés tout droit vers Paris où nous étions alors étudiants. Comme si rien n'était plus facile. Comme si partis de Lançon avaler 800 bornes dans la journée n'était qu'un jeu d'enfant, la chose la plus aisée du monde.

Lançon le tremplin rêvé. Le carrefour de tous les automobilistes. La rampe de lancement si efficace qu'arriver à bon port en partant de là était à peine méritoire.

Tu vas où, j'ai demandé.

Vers la Normandie je pense.

Tu as une destination précise.

On m'a parlé des bocages de l'Orne. On m'a dit que c'était beau. Et puis j'irai un peu à la mer. Je ne suis jamais allé à Trouville.

Trouville, j'ai répété. Duras. Proust. L'Hôtel des Roches Noires.

J'irai. Si ça peut te faire plaisir j'irai. Fais gaffe il y a un radar.

J'ai jeté un œil à mon compteur : 130. Je suis redescendu à 110, j'ai dépassé la petite colonne grise striée de bandes noires et jaunes.

Tu pars longtemps, j'ai demandé.

Je verrai.

Je l'ai vu se tourner du côté de la vitre. Contempler la plaine de l'autre côté de la rambarde.

Marie en a marre que je parte. Elle dit que j'ai un problème. Que ce n'est pas possible d'avoir tout le temps envie de m'en aller comme ça. Je lui ai demandé si je lui manquais, elle m'a répondu non. Elle m'a regardé bien en face et elle m'a dit la vérité : que je lui manquais de moins en moins. Qu'elle était triste, mais pas de ce que je croyais. Pas que je m'éloigne. Pas que je sois absent. Triste de s'y habituer. Triste de sentir qu'elles ne lui font presque plus rien, mes absences.

Il a soufflé avant de continuer. J'ai senti combien cela lui coûtait.

Tu commences à connaître Marie. Tu as vu sa franchise. Elle m'a regardé et comme elle voyait que je peinais à comprendre elle m'a dit ces mots on ne peut plus clairs : Quand tu t'en vas je ne suis même plus triste. Je suis sereine. Je suis libre de mon temps. Sitôt Agustín au lit je me remets au travail. J'ai la soirée entière à ma table. J'avance. Comme jamais quand tu es là, j'avance. Plusieurs pages chaque soir. Je descends dans le livre à traduire, je l'habite, je le sens qui me devient intime. Je suis heureuse. Quand tu rentres tout s'arrête. Je me dis, vite il va rentrer. Avant je désirais ce moment. Je me dépêchais de boucler une dernière page pour être à toi. Maintenant je me dépêche toujours. Mais comme avant l'arrivée d'un étranger qui me coupera dans mon élan, viendra rompre ma concentration, m'arracher à moi-même.

Il avait raconté tout cela avec effort, presque sans s'arrêter. Nous avons doublé l'aire de Ventabren : une petite aire miteuse, trois voitures toutes les dix minutes, à peine des toilettes et une zone de repos. Je suis resté sans répondre, m'appliquant à conduire, attendant qu'il reprenne.

Elle m'a raconté ses journées. Le calme de sa vie sans moi. Elle m'a dit qu'elle te voyait. Qu'elle t'aimait bien. Que vous passiez de plus en plus de temps ensemble.

Il a ri d'un rire un peu forcé.

Je te jure elle me l'a dit. Qu'elle s'en sortait très bien sans moi, il ne fallait pas un instant que je pense que je lui étais indispensable.

Elle a simplement voulu te piquer.

Il a secoué la tête.

Elle était triste. Elle me disait tout cela sur un ton triste. Elle me disait : Je ne suis pas malheureuse quand tu t'en vas. Et elle était malheureuse de me le dire. Ça ne me dérange plus que tu partes, elle me disait avec tristesse. Ça ne me dérange plus du tout que tu t'en ailles. Et elle éclatait presque en sanglots en me disant ça. Et moi qu'est-ce que je fais ce matin. Qu'est-ce que je fais l'exact lendemain du soir où elle me dit ça. Comme un con je m'en vais. Au lieu de me battre je déserte. Une fois de plus je pars. Est-ce que tu peux croire que je suis aussi con. Je m'en vais putain. Une fois de plus je m'en vais. Quand il faudrait évidemment rester.

Devant nous l'aire de Lançon se signalait au loin, à un bon kilomètre encore, décelable aux panneaux colorés des stations-service de chaque côté de la voie, à l'arche de restaurants et de boutiques enjambant les voies.

On arrive, il a dit en riant de lui-même. Tu vois d'habitude c'est moi qui écoute les autres. Quand je te dis qu'il se passe toujours quelque chose dans ces fichues voitures.

Je me suis approché des pompes à essence. J'ai glissé au ralenti sous le toit préfabriqué de la station, entre les voitures à l'arrêt. Je me suis demandé si j'allais faire comme n'importe quel automobiliste. Faire comme j'aurais fait si l'autostoppeur n'avait pas été mon ami, si de surcroît il ne venait pas de se mettre pour la première fois depuis des décennies à se confier. Le lâcher là et redémarrer en lui souhaitant bonne chance, comme ont toujours fait tous les automobilistes du monde.

Je t'offre un café.

La proposition venue de lui. Plus qu'une proposition. Un constat qui me laissait à peine le choix.

Je t'offre un café viens et j'ai souri de l'entendre dire ces mots avec le même naturel que s'il m'invitait à la plus chaleureuse terrasse du centre-ville, me faisait l'offrande inespérée d'un verre dans le dernier lieu à la mode.

Je me suis garé. Nous sommes sortis de la voiture, avons éprouvé cette sensation coutumière des arrêts sur les aires : le plaisir de déplier nos membres, d'étirer nos bras et jambes. La sensation du bitume dur, impersonnel, extraordinairement rigide sous les semelles après les vibrations de la voiture.

Nous avons promené nos yeux alentour, examiné le décor connu par cœur, les lignes blanches peintes au sol, la plinthe du trottoir en béton incrustée de granulats beiges, les poubelles géminées, jaune pour les déchets à recycler, blanc pour le tout-venant. Les baies coulissantes de la cafétéria en face des pompes. Les fumeurs debout devant l'entrée. Les panneaux fléchés indiquant la zone camions, la zone voitures, la zone pique-nique.

Nous sommes entrés dans la cafétéria, avons reconnu l'ambiance gonflée de caféine et de cris d'enfants enfin libres de se dégourdir les jambes, l'air chaud, fatigué, poisseux, usé jusqu'à devenir épais. Nous sommes passés entre les rangées de frigos à bouffe remplis de sandwichs sous plastique, sandwichs viennois, suédois, extramoelleux, wraps, salades norvégiennes, italiennes, mexicaines, clubs XXL, clubs trois goûts combinés, poulet mayonnaise ciboulette, bacon carotte pain de mie.

Je me suis rappelé une fois où nous étions arrivés là ensemble, en provenance d'Italie, deux jours après être partis de Rome. Fin juin ou début juillet. Un jour de soleil aussi chaud qu'il faisait froid à présent. Le premier soir nous avions dormi dans le port de La Spezia, sur le petit voilier d'amis de l'autostoppeur en vacances sur la côte génoise. Le lendemain, à hauteur de Menton, des policiers nous avaient chassés d'un péage. Nous avions dû nous poster sur le côté, au bord de la voie réservée aux véhicules les plus lents. Là nous avions attendu jusqu'à en perdre espoir, découragés par le flux dérisoire, presque exclusivement des camions hors d'âge.

Est-ce qu'on va redémarrer un jour.

Est-ce qu'après avoir fait Rome-La Spezia puis La Spezia-Menton en un éclair on va en être réduits à passer la nuit là.

Alors nous l'avions vu arriver. Vrombissant, puant,

énorme, vert comme le sont tous les camions-poubelles de France. Tellement lent que la question ne s'était pas posée pour lui : évidemment je prends le couloir de droite, et tant pis si je fais défiler ma cargaison sous les narines de ces deux jeunes avec leurs pancartes.

Nous avions fait mine de lever le pouce pour rigoler, tendu nos pancartes avec marqué dessus : Paris. Paris avec un soleil en guise de point sur le *i*, on s'amuse comme on peut.

Le type avait ri. Et puis en ouvrant sa vitre pour attraper le ticket il s'était penché vers nous.

Si vous voulez je vous prends.

D'un air de nous dire : chiche.

Je vais à Toulouse je peux vous avancer de 200 bornes facile.

Nous nous étions regardés avec l'autostoppeur. Et d'une seule voix nous avions dit banco.

Banco putain on vient.

Nous avions grimpé sur le marchepied, sauté dans la cabine à côté du type hilare.

Pris par un camion-poubelle.

Nous avions découvert qu'un autre nous suivait.

C'est mon collègue on est en convoi.

C'était encore l'époque de la CB. L'autostoppeur trimballait avec lui une cassette de Fabrizio De Andrè, tout juste achetée à un vendeur à la sauvette dans une rue de Rome. Il avait demandé au chauffeur du camion-poubelle s'il connaissait. Fabrizio De Andrè le Brassens italien. Enfin c'est comme ça qu'on l'appelle souvent, il avait dit. Dès qu'un type chante des textes un peu travaillés en s'accompagnant à la guitare on l'appelle le Brassens du pays. Boulat Okoudjava le Brassens russe. Paco Ibáñez le Brassens espagnol. Ou peut-être que nous sommes les seuls à les appeler ainsi, avait-il ri. Peut-être que pour les Espagnols c'est Brassens qui est le Paco Ibáñez français.

Fabrizio De Andrè ça vous dit quelque chose, avait demandé l'autostoppeur au chauffeur en lui montrant la cassette encore sous blister. Et comme ça ne disait rien au type il avait arraché l'emballage glissé la cassette dans l'autoradio.

C'était une cassette de reprises de chansons célèbres, traduites en italien. *Le gorille. Mourir pour des idées. Suzanne.*

Suzanne ma chanson préférée, avait dit le type.

Il avait écouté la version de De Andrè. Sa voix grave. Sobre. Les sonorités tout autres de l'italien, plus articulées, plus ouvertes, étranges au début, moins sombres que l'anglais d'origine. Splendides aussi à leur façon.

Il avait exulté. Et pour faire partager son bonheur au collègue calé dans le second camion-poubelle, il avait allumé sa CB et approché son émetteur de l'enceinte suspendue au plafond de la cabine.

Écoute ça Patrice.

Cela dit dans le grésillement atroce de la CB, à son pote installé au volant du camion-poubelle jumeau, deux bandes blanches derrière nous.

Écoute ça comme c'est beau.

Qu'est-ce que c'est, avait dit l'autre, à 50 mètres dans notre sillage.

Devine écoute.

C'est quoi j'entends pas.

C'est de la musique italienne écoute tu vas reconnaître.

Il avait passé toute la durée de la chanson bras droit levé pour plaquer le micro contre l'enceinte d'où sortait la musique. Puis toute la durée de la cassette, sans se lasser de saluer ainsi le plafond. Je ne sais pas si le collègue a éteint son poste. Ou changé de canal. Ou s'il est resté du début à la fin à écouter religieusement la voix de De Andrè. En tout cas nous n'avons plus eu de nouvelles de lui.

Pendant ce temps, l'autostoppeur et moi avions rapidement trouvé un autre motif de préoccupation : la vitesse de notre bolide, lancé à 60 à l'heure à tout casser, accroché au rail de droite, façon lièvre dans les courses de chiens, mais lièvre foireux, boiteux. Trois pattes flinguées sur quatre.

À chaque voiture qui nous doublait, c'était une aspiration puissante. Un souffle comme une claque, tant la différence d'allure était grande. Nous n'avions jamais fait Menton-Aix à pareil putain de train d'escargot. C'était presque une expérience. La découverte de l'autoroute à vitesse de tracteur. À chaque aire nous hésitions à descendre. Et puis nous avions eu des scrupules à insulter notre hôte. Nous en avions pris notre parti. Nous nous étions confortablement calés dans nos sièges et nous avions bavardé comme si nous avions la vie devant nous, ce qui n'était pas faux.

Nous étions descendus à Lançon au bout de cinq heures. À cet endroit précis. Devant ces pompes. Avions dit au revoir à notre copain chauffeur de camion-poubelle. Et maintenant nous étions de nouveau là. Moi au volant d'une Clio Campus qui répondait largement à mes besoins. L'autostoppeur avec la même pancarte qu'autrefois. Un peu plus vieux tous les deux seulement. Un bout de vie non négligeable encore devant nous, certes. Mais un bout sensiblement moindre.

Je vais pisser, a dit l'autostoppeur.

Nous y sommes allés ensemble. Je me suis lavé les mains, les ai glissées dans la soufflerie brûlante à côté du lavabo. Nous sommes ressortis, avons marché jusqu'aux distributeurs de boissons chaudes. L'autostoppeur a glissé une pièce dans l'une des machines. Le moteur a mugi, le petit gobelet blanc est tombé dans la pince, s'est rempli d'un jus noirâtre.

Tu veux rentrer à V. avec moi, j'ai demandé.

Il a pris le gobelet, me l'a tendu en secouant doucement la tête.

C'est gentil mais non.

Rentre, j'ai dit.

Il a mis une deuxième pièce dans la machine, commandé un nouvel expresso.

Non, il a répété. De toute façon ça ne sert à rien.

J'ai senti qu'il se cabrait. Je me suis tu. Il a marché jusqu'à une petite table haute. S'est installé là avec son café, sur un tabouret de bar. A attendu que je vienne m'asseoir en face de lui. Par les baies vitrées nous pouvions voir les voitures sur le parking. Le gazon épais des plates-bandes soigneusement ourlées de ciment. Le bloc de béton des toilettes et des douches pour les routiers.

J'ai repensé à la discussion avec Jeanne l'autre soir, il a dit quand nous avons été tous les deux assis. À sa question : Pourquoi. Pourquoi tu fais ça. J'ai repensé aux raisons que j'invoquais. Les mêmes que j'invoque toujours un peu pour moi-même quand j'essaie de m'expliquer tout ça. Le goût des rencontres. L'envie de connaître des gens. De voir du pays. D'aller traîner un peu mes guêtres ailleurs. Jeanne a raison : est-ce que c'est vraiment ça mon problème. On peut avoir envie de voir des gens qu'on aime, être impatient de les retrouver, ça oui. Mais désirer passer du temps avec des gens qu'on ne connaît même pas encore. Avoir envie de connaître des hommes et des femmes abstraits, sans visage encore, sans contours précis. De simples idées d'hommes et des femmes – est-ce que ça se peut vraiment.

Il a bu la fin de son café en suivant par la baie l'arrivée d'une berline familiale qui achevait de se garer. Il a regardé les portières du véhicule s'ouvrir l'une après l'autre. Un parent en descendre. Puis l'autre. Une portière arrière s'ouvrir toute seule. Les jambes d'un ado en sortir. Le père ouvrir l'autre, détacher de son siège une petite fille de trois ou quatre ans.

Je sais qu'en partant j'abîme mon histoire avec Marie. Et pourtant je pars. Je ne devrais même pas dire « et pourtant». C'est presque le contraire : je pars précisément parce qu'il ne faut pas. Avec la conscience très claire de faire une bêtise. C'est complètement tordu et pourtant. Tout me dit qu'il ne faut pas, que c'est idiot – alors je le fais. Je le fais parce que je sens que c'est grave. Parce que. Tout va trop bien. Tout est trop parfait. Quelque chose en moi veut casser ça. S'en libérer. Quitte à décevoir. Quitte à tout foutre en l'air.

Il a ri un peu tristement de lui-même. Il m'a fixé.

Tu te dis que je suis fou.

Non je t'écoute.

Moi je trouve que je suis fou. Je ne comprends pas comment je peux me laisser bouffer par pareilles âneries. Je crois que si j'aimais moins Marie et Agustín ce serait plus simple. Je me sentirais moins prisonnier. Je ne serais pas lié comme je suis. D'une certaine façon c'est ça qui me pèse : les aimer tant. Être à ce point ce père aimant.

Il a jeté son gobelet, m'a demandé si j'en voulais un autre. Je l'ai remercié, j'ai jeté le mien pour montrer que j'avais fini, mais il l'a à peine vu, il était inarrêtable à présent.

Moi je m'en reprends un.

Il a marché jusqu'à la machine, est revenu avec un nouveau gobelet.

Je me rappelle le jour où j'ai compris que j'étais devenu adulte. Je vivais déjà avec Marie, nous avions Agustín depuis deux ou trois ans, je travaillais depuis des années comme je le fais toujours plus ou moins aujourd'hui, charpentier ici et là, bricoleur à droite et à gauche, électricien quand il faut, plombier ou même jardinier si on me le demande, ni trop souvent ni trop peu, juste ce qu'il faut pour maintenir le juste équilibre, rapporter à la maison ma part de revenus et me garder du temps à moi, ne pas me perdre tout entier en chantiers. Marie était déjà traductrice, traduisait déjà Lodoli et d'autres auteurs qu'elle aimait. C'est-à-dire que notre vie était déjà à peu près ce qu'elle est maintenant, et que nous en étions satisfaits, nous songions souvent que nous avions de la chance, nous nous plaisions à V., nous y avions des amis, nous sentions que c'était un endroit où nous étions susceptibles de rester un bon moment encore, bref nous allions bien.

Et un matin je me suis levé et je me suis dit ça y est, tu es grand. J'ai réalisé qu'il fallait que j'arrête de me répéter ces mots, plus tard quand je serai grand. Que c'était fait : *j'étais* grand. Je l'étais devenu à mon insu. Sans que personne vienne me prévenir. J'ai compris qu'il n'y aurait pas d'épreuve. Pas de monstre à vaincre ni de nœud à trancher. Pas de coup de gong solennel. Pas de voix paternelle pour me souffler à l'oreille ces mots, c'est maintenant, t'y voilà. J'ai compris qu'il n'y aurait nulle ligne à franchir. Nul cap à passer. Nul obstacle à surmonter. Qu'être grand simplement désormais ce serait ça : la continuation de ce présent, de cette lente translation, de ce glissement presque imperceptible, seulement décelable à l'érosion de certaines de mes facultés, au grisonnement de mes tempes et de celles de Marie, à notre renoncement de plus en plus fréquent à telle ou telle folie qui autrefois nous aurait semblé le sel même de la vie, à la taille chaque année accrue d'Agustín, à son énergie toujours plus fascinante. À son appétit d'ogre lui aussi décidé à nous dévorer chaque jour un peu plus. J'ai réalisé qu'il ne se passerait rien. Qu'il n'y avait rien à attendre. Que toujours ainsi les semaines continueraient de passer, que le temps continuerait d'être cette lente succession d'années plus ou moins investies de projets, de désirs, d'enthousiasmes, de soirées plus ou moins vécues. De jours tantôt habités avec intensité, imagination, lumière, des jours pour ainsi dire pleins, comme on dit carton plein devant une cible bien truffée de plombs. Tantôt abandonnés de mauvais gré au soir venu trop tôt. Désertés par excès de fatigue ou de tracas. Perdus. Laissés vierges du moindre enthousiasme, de la moindre récréation, du moindre élan véritable. Jours sans souffle, concédés au soir trop tôt venu, à la nuit tombée malgré nos efforts pour différer notre défaite, et résignés alors nous marchons vers notre lit en nous jurant d'être plus rusés le lendemain – plus imaginatifs, plus éveillés, plus vivants.

L'autostoppeur s'est tu. Les baies vitrées de l'entrée se sont ouvertes. Un type est entré suivi de son gamin, a marché jusqu'à la caisse. J'ai regardé mon téléphone : il y avait deux bonnes heures maintenant que nous étions là, vissés à la petite table haute, le sac de l'autostoppeur à nos pieds. J'ai pensé que les gens autour de nous avaient changé dix fois.

J'ai réalisé ce fait étrange : qu'il nous avait fallu venir jusque-là, autour de cette table étroite d'une cafétéria d'aire d'autoroute, pour réussir à parler comme nous n'avions jamais parlé.

Je lui ai demandé s'il ne fallait pas qu'il y aille. Avec cette foutue nuit qui tombait à 17 heures.

Il m'a regardé.

T'es pressé que je parte.

Je dis ça pour toi. Si tu veux être en Normandie ce soir il y a de la route.

Il a souri.

Je vais y aller t'inquiète.

Il a mis ses gants. Enfilé son bonnet. Ramassé son sac. Nous sommes sortis.

Tu vas attaquer de quel côté.

Ce conducteur tout seul là-bas, immatriculé 75. Il est pour moi.

Nous nous sommes embrassés. Je lui ai souhaité bonne route. Il a sorti de son sac une fine liasse de feuilles blanches serrées dans une pochette, a fouillé parmi les panneaux déjà préparés à gros traits de marqueur noir, la plupart écornés, gondolés de pluie, utilisés vingt fois déjà. Il a sorti le panneau AUXERRE, l'a placé contre la pochette.

Auxerre du premier coup t'es sûr.

Auxerre minimum et encore c'est petit bras. On est à Lançon ho.

Il a brandi son panneau pour le montrer aux automobilistes garés devant nous.

Le 75 lui a fait non en se marrant. Les autres ont secoué la tête aussi.

Bonne route allez je te laisse.

Avant de le quitter j'ai sorti mon téléphone.

Pour Marie. Bouge pas.

J'ai pris la photo, l'ai expédiée sans attendre.

Je me suis encore retourné une ou deux fois en marchant vers ma voiture. J'ai vu l'autostoppeur faire le tour des fumeurs postés devant l'entrée. Puis marcher vers les voitures garées aux pompes, son panneau brandi avec un sourire.

Le temps de démarrer, je l'ai vu se pencher sur la vitre d'une vieille dame. Hocher de la tête d'un air de dire oui. Ça m'arrange oui. Je l'ai regardé se dépêcher de faire le tour de la voiture, une petite Polo noire immatriculée 95. Ouvrir la portière avant droite, se glisser à l'intérieur avec son sac sur les genoux, attraper sa ceinture pour l'accrocher en bandoulière.

En roulant doucement je suis passé tout près de la Polo encore à l'arrêt. À travers la vitre fermée j'ai vu l'autostoppeur me faire un sourire ravi, articuler pour moi sa destination : PARIS. J'ai levé le pouce pour dire bravo, salué la conductrice en ami. Regardé les lourdes boucles dorées à ses oreilles, son visage lifté, son col roulé rose. Le genre de dame sur laquelle jamais, au grand jamais, je n'aurais parié un clou.

La Polo a disparu dans mon rétroviseur. L'aire entière s'est évanouie. J'ai regardé le siège vide à côté de moi. J'ai aperçu dessous une pochette cartonnée oubliée. Sans cesser de conduire je me suis penché pour la ramasser. Je l'ai ouverte. J'ai vu les panneaux à l'intérieur. BOURGES. CLERMONT. LILLE. VIENNE. LE MANS. BREST. ÎLE DE RÉ. BAYONNE. CARHAIX. BESANÇON.

J'ai pensé à mon texte en chantier, cette satanée *Mélancolie des paquebots*. Aux toiles qui m'attendaient chez moi, au deuxième étage d'un immeuble sans charme de cette petite ville de V. Ces foutues toiles sur lesquelles je m'acharnais depuis des mois déjà.

J'ai allumé la radio, mis France Culture, puis France Inter, puis 3DFM.

J'ai éteint la radio.

Je me suis senti seul.

17

Le monde se divise en deux catégories. Ceux qui partent. Et ceux qui restent.

En arrivant à V. je me suis garé près de la petite place. J'ai vu la grille de la maison ouverte, compris que Marie était là. J'ai frappé à sa porte. Elle est venue m'ouvrir. Je lui ai raconté la vieille dame, le geste de la main de l'autostoppeur à l'instant de monter dans la petite Polo.

Il a dit dans combien de temps il rentrerait, elle a demandé.

J'ai secoué la tête.

Dans trois jours je dois aller à Paris. Évidemment il s'en fout. Après lui le déluge. Dans trois jours je dois partir c'est prévu depuis six mois, je vais faire comment.

Je peux te prendre Agustín si tu veux.

Elle a eu un mouvement d'agacement.

Je vais voir. C'est gentil.

Il y avait en elle quelque chose de dur. Ses yeux m'évitaient.

Je te fais un café. Je n'ai pas le temps de le prendre avec toi pardonne-moi, je suis débordée.

Sans attendre ma réponse elle a versé du café déjà chaud dans une tasse, posé la tasse fumante sur la table, est remontée.

Assieds-toi si tu veux. Ça ne me dérange pas.

J'ai bu la tasse à petites gorgées, en regardant le jardin par la fenêtre. En m'étonnant que le rosier continue de fleurir les mêmes roses blanches, si longtemps. J'ai rincé la tasse. Je l'ai posée sur l'évier. Je suis reparti en tirant la porte derrière moi.

Dehors il faisait froid.

J'ai regardé mon téléphone, cherché le numéro de Jeanne, lancé l'appel, l'ai interrompu avant que ça sonne. J'ai marché le long du fleuve, suis resté à suivre un moment du regard les mouettes remontées jusque-là, 50 kilomètres en amont de l'embouchure. J'ai à nouveau cherché le numéro de Jeanne. La ligne a sonné. Une fois, deux fois. Dix fois sans qu'elle réponde.

Bonjour vous êtes bien sur la messagerie de Jeanne.

J'ai raccroché. Je suis rentré chez moi.

En poussant la porte j'ai senti l'odeur de térébenthine. J'ai vu les toiles appuyées contre le mur, les pots de peinture à l'huile entassés. J'ai mis de la musique, éteint mon téléphone pour qu'on ne me dérange pas.

J'ai travaillé jusqu'au soir.

Le lendemain à peine levé je m'y suis remis.

Et le surlendemain encore.

J'ai terminé une toile. Puis une autre.

J'ai cru pendant une ou deux journées que j'allais y arriver. Que j'avais pris mon rythme.

Puis l'ivresse est retombée. Il était minuit passé. J'ai posé la toile que je venais de terminer à côté des autres. Je les ai examinées. J'ai repensé à ce que j'avais espéré au début : déposer sur la toile quelque chose comme le temps lui-même. Un petit pan de temps rendu sensible.

Sur toutes il y avait de l'obstination. De la patience. Une infinie patience. Mais il manquait la grâce. C'était laborieux, sans souffle.

J'ai eu mal. Je me suis dit que je perdais mon temps. Que je m'échauffais pour rien, ridiculement, dérisoirement. Je me suis senti essoré, humilié, triste. Mais j'ai senti aussi qu'un poids s'en allait.

J'ai pris le Lodoli que m'avait prêté Marie depuis plusieurs semaines déjà. J'ai relu le titre sur la couverture : *Les prétendants.* J'ai eu envie de ne plus rien faire d'autre que cela : lire. J'ai senti le soulagement de m'autoriser cette pensée : lâche. Jusqu'à nouvel ordre lâche.

Le livre racontait l'histoire de Costantino, jardinier dans une villa des faubourgs de Rome. L'histoire commençait sur une péniche-restaurant, tout était serein, le bateau se balançait paisiblement sur le fleuve, les lumières de la nuit dansaient. Costantino buvait avec deux hommes, se saoulait avec eux comme avec des amis. La soirée était belle. Et pourtant l'inquiétude montait. C'était doux, il n'y avait pas de brutalité, les échanges entre les trois hommes restaient courtois. Mais Costantino comprenait que les deux autres étaient là pour le tuer. L'exécuter sans bruit ni effusion excessive. Avec la même douceur qu'ils mettaient à lui parler pour sa dernière soirée.

Rome alentour était calme. Costantino veillait toutes les nuits sur un parc immense et bleu où des hommes de main venaient régulièrement enterrer des cadavres. Les hommes changeaient d'apparence mais jamais de nom, c'étaient toujours Fedele et Ottavio, invariablement Fedele et Ottavio, et certaines nuits Fedele était petit et gros, d'autres nuits il était grand et mince, et Ottavio portait parfois un chapeau, d'autres fois il était tête nue, et on finissait par comprendre que les morts enterrés chaque soir par Fedele et Ottavio n'étaient autres que les Fedele et Ottavio de la veille, et tout le livre était ainsi, nimbé de mystère, noyé lui aussi d'obscurité, de bleu, le bleu de la nuit sur les grandes étendues de pelouse soignée au cordeau, le bleu des fleurs dans la nuit.

La traduction de Marie était pleine de trouvailles qui me ravissaient, par exemple ce moment où le jardinier, pour la première fois seul dans le jardin, décidait d'arroser les plantes «parce que le soleil déclinait et Costantino savait que c'était l'heure où de par le monde on arrose les jardins». J'adorais cette expression, de par le monde. Et que Marie l'ait glissée là, avant le verbe. «L'heure où de par le monde on arrose les jardins.» J'aurais voulu voir le texte italien, savoir ce qu'avait écrit Lodoli à cet endroit précis. Connaître la phrase italienne exacte, et comprendre ce qui avait pu faire que Marie la traduise de cette façon, et pas autrement. Costantino branchait le tuyau et se sentait important, « il était l'homme de l'eau ». Quelle merveille. À la fin il ne pouvait s'empêcher de désobéir une fois de trop et la sentence tombait, il devrait quitter à tout jamais le jardin et c'était comme d'être chassé du paradis, sauf qu'en s'en allant il ajoutait ces mots d'espoir : « le monde est grand, et pour les êtres de notre espèce il y a toujours un coin ». Ces mots tellement proches de ceux que répétait l'autostoppeur. Le monde est grand. Comme un mantra. Et pour les êtres de notre espèce il y a toujours un coin.

Je me suis mis à la fenêtre. J'ai regardé la façade de l'immeuble d'en face, bleuie par l'obscurité.

J'ai pensé au petit jardin de la maison où étaient Marie et Agustín, à quelques rues de là. Aux plantes du jardin plongées dans l'obscurité glacée. À tous les jardins cachés derrière les façades de la petite ville. À tous les Ottavio et les Fedele ensevelis dans les jardins de Rome. À tous les morts romains au fond des tombes de l'ancienne nécropole voisine, de part et d'autre de l'allée de sarcophages et de cyprès qui dans la nuit devaient darder leurs longs fûts bleus. À cette chose étrange qu'était la nuit, simple absence de lumière qui pourtant existait si fort, emplissait tout d'une substance si palpable, était si indubitablement un élément, pas du tout une absence mais bien une présence, une eau, un philtre.

18

Le matin j'ai été réveillé par le jour qui entrait dans le salon. J'ai réalisé que j'avais dormi sur le canapé. J'ai à nouveau regardé les toiles posées par terre, dos contre le mur. J'ai ouvert la fenêtre, je me suis fait un café, je l'ai bu en regardant les pierres de l'immeuble d'en face redevenues blondes, la moindre aspérité des blocs soulignée par les rayons du soleil arrivant de biais.

J'ai enfilé un gros pull en laine, je suis sorti. J'ai marché vers le fleuve. J'ai croisé des parents avec un enfant à vélo, des vieux qui promenaient leur chien, des joggeurs. J'ai réalisé qu'il était tôt. À peine plus de 8 heures. Pile le créneau où les enfants se dépêchent d'aller à l'école.

Je suis arrivé sur le quai. On était début janvier à présent, le fleuve était gros, l'eau s'en allait lentement, comme engourdie par le froid. Quatre mois étaient passés et de nouveau j'étais là, seul au bord du fleuve. Qu'avait fait l'autostoppeur pendant ces quatre mois? Il s'était promené, avait vu du pays, fait des rencontres. On pouvait aussi dresser le registre des pertes : il avait usé la patience de Marie. Peut-être fichu en l'air leur histoire. Laissé s'envoler la chance de nombreuses journées avec son fils. Des journées qui ne reviendraient pas. Qui étaient perdues. Irréversiblement perdues. Et moi. Qu'avais-je fait moi. J'étais allé au bout d'une idée qui me démangeait depuis longtemps. J'avais constaté qu'elle n'était pas bonne. Ce n'était pas rien. Je m'étais lentement mais sûrement habitué à ma nouvelle vie à V. J'étais passé de nouveau-venu-qu'on-invite à nouveau-venu-qu'on-n'invite-plus, pour avoir noté qu'il n'aimait pas ça outre mesure.

Je me suis rappelé l'époque de ma colocation avec l'autostoppeur. Les journées passées à lire pendant que lui travaillait dans un restaurant. À lire du matin au soir. À avaler presque un livre par jour. Parfois deux. L'écart creusé entre nous par cette différence de nos vies. Ses yeux à la fois admiratifs et tristes à son retour le soir. Mesurant le fossé que creusait à la longue cette chance que j'avais, et lui non. Avoir lu sept nouveaux livres à la fin de la semaine. Trente à la fin du mois. Trois cents à la fin de l'année. Et autant de mondes arpentés, autant de pays reconnus, de vies écoutées, de voix entendues – cependant que lui rentrait chaque soir épuisé par les heures de service, à bout de forces, littéralement mort.

À présent c'était moi qui me sentais vide. J'ai longé le fleuve pendant une dizaine de minutes, passant sous le premier pont, puis sous le deuxième, marchant contre le soleil à présent, aveuglé dès que je levais les yeux vers l'eau pailletée de lumière.

J'ai vu apparaître une silhouette au loin.

Julien. Mon cousin. Le premier à m'avoir ouvert sa porte à V.

J'ai réalisé que je ne l'avais pas revu depuis ce soir-là. Que je ne lui avais pas fait signe une fois.

Sacha, il a dit en m'apercevant.

Il m'a embrassé, l'air sincèrement content. Me regardant sans doute comme me regardait depuis des années le gros de mes cousins et de ma famille. Une sorte de doux dérangé, un rêveur dont il ne fallait pas attendre de conduites trop rationnelles, ni trop de respect des bienséances.

Je reviens de l'école. J'ai déposé les enfants. Je passe tous les matins là, c'est fou qu'on ne se soit jamais croisés.

Moi de si bon matin c'est la première fois, j'ai dit en souriant.

Il s'est marré. M'a demandé si j'avançais comme je voulais. Cela d'une voix douce, sincèrement bienveillante. Dans laquelle ne s'entendait nul reproche.

J'ai répondu que oui, ça avançait. Ça avançait et parfois ça reculait.

Ces jours-ci j'ai plutôt l'impression de reculer violemment, mais tôt ou tard il faudra bien que ça reparte.

Je me suis demandé s'il savait pour Jeanne et moi. J'ai eu le sentiment que non. Qu'elle avait dû garder tout ça pour elle. N'en rien dire même à lui, qui nous avait présentés.

Je suis rentré chez moi. Je me suis remis à lire Lodoli. Vers 13 heures on a sonné en bas.

136

Sacha.

J'ai reconnu la voix de Marie. Je suis descendu lui ouvrir. Je l'ai vue devant la porte, un panier rempli de légumes à la main.

Je rentre du marché, je passais devant chez toi.

Et Agustín.

Il est chez un copain.

Je l'ai embrassée. J'ai attrapé son panier.

Monte.

Nous nous sommes retrouvés tous les deux dans l'étroit vestibule, au bas de l'escalier. Je l'ai à nouveau embrassée, comme si le fait qu'elle ait passé le seuil et vienne officiellement d'entrer dans l'immeuble commandait que je la salue à nouveau.

Merci de venir à l'improviste comme ça.

Ses joues et son nez rougis par le froid lui donnaient un air joyeux, un peu ivre.

À nos pieds des enveloppes faisaient un bruit de papier froissé.

Le courrier.

Je me suis baissé pour ramasser les plis tombés de la fente dans la porte. Une note de droits. Une facture EDF. Et une carte postale dont nous avons tout de suite deviné l'expéditeur.

Il t'écrit. Je rêve.

Ça doit être le privilège de ceux qui le déposent à Lançon.

J'ai tendu la carte à Marie pour qu'elle la voie. Elle a regardé la mer photographiée du bord d'une immense

plage. Les blocs de béton décelables à quelques centaines de mètres de la côte, comme tombés là, à inter-
valles réguliers, pareils à un chapelet d'îles artificielles
fermant la baie. Elle m'a rendu la carte sans l'avoir
retournée.

J'ai lu la légende au verso : Arromanches, plage du
Débarquement.

Il est au bord de la mer, a dit Marie avec un sourire.
J'ai dû annuler mon séjour à Paris et monsieur est à la
mer.

Nous avons monté les deux étages, sommes entrés
chez moi. J'ai posé le panier dans un coin. Marie a ôté
son manteau. Je l'ai vue sans son manteau et son écharpe,
incroyablement découverte soudain, toute proche. Vêtue
d'un pull en laine douce qui donnait envie de se serrer
contre elle.

Moi je suis ravi qu'il soit à la plage, j'ai dit. Je trouve
que c'est la meilleure idée qu'il ait eue depuis longtemps.

J'ai eu peur d'y être allé trop fort, mais elle a ri.

Tu bois un verre.

Elle a dit oui, est venue près de moi.

Qu'est-ce qu'on boit.

Je suis passé derrière elle pour attraper des glaçons
dans le frigo. Nos bras se sont frôlés. Je lui ai tendu son
verre.

Qu'est-ce que c'est. Du pastis.

Presque. De l'ouzo. J'en ai trouvé la semaine dernière au supermarché. D'habitude ça se boit l'été. Il
suffit d'imaginer ça. C'est l'été, on est en Grèce, il fait

chaud, on vient de se baigner puis de se réchauffer sur de grandes pierres écrasées de soleil depuis le matin.

Elle a bu une gorgée. Savouré le goût d'anis et de réglisse, comme si elle guettait l'effet d'une potion magique.

On s'y croirait.

J'ai attrapé sa main, l'ai attirée doucement contre moi.

J'ai senti sa main dans mes cheveux. Embrassé son cou, ses épaules, ses tempes.

Le fameux Sacha.

Elle s'est collée à moi. Collée plus fort, comme si elle voulait visser son bassin au mien. J'ai eu envie d'elle. Envie d'elle là maintenant tout de suite.

Elle m'a donné encore un baiser, s'est reculée d'un pas.

N'importe quoi, elle a dit en riant.

Pas n'importe quoi du tout, j'ai protesté.

Elle a repris son verre posé sur la table, l'a levé pour trinquer.

J'ai lu Costantino hier soir, j'ai dit. Je me suis endormi avec.

Elle a souri.

Avec ou dessus.

Avec. J'ai rêvé de jardins plongés dans la nuit. De dizaines d'Ottavio et Fedele enterrés au pied des massifs de fleurs.

Tu as lu la deuxième histoire.

Je commence tout juste.

La deuxième est encore plus belle tu vas voir.

Je me suis tu. Elle a regardé autour d'elle. Jeté un œil à son panier resté dans l'entrée. Au soleil dehors.

Et moi qui étais juste venue te faire un coucou avant de rentrer me remettre au travail.

Alors là si tu as le moindre espoir de repartir.

Elle a montré une frisée dans son panier.

Fais-nous à manger alors je meurs de faim.

J'ai attrapé la salade. L'ai mise dans l'évier pour la rincer, si belle, si vigoureuse qu'il m'a semblé tenir dans ma main un crabe énorme aux pattes écartées. J'ai pressé le couteau contre mon pouce. Le cœur a cédé dans un chuintement élastique. J'ai séparé les feuilles, taillé en deux les plus grandes, larges comme l'assiette. J'ai préparé une vinaigrette à l'huile d'olive et à l'ail. Nous avons mangé.

C'est bon, elle a dit.

C'est bon oui. Mais ça pourrait être mauvais je m'en foutrais, de toute façon c'est le meilleur déjeuner que j'aie fait depuis longtemps.

La carte de l'autostoppeur était toujours là, devant nous.

Et si on y allait nous aussi, j'ai dit.

À Arromanches.

Non à la plage.

Un 10 janvier.

Et pourquoi non. Regarde le temps qu'il fait.

Dehors la lumière du soleil dorait doucement les pierres des immeubles. Le ciel était bleu. Il n'y avait pas de vent.

Elle m'a regardé comme on regarde un gamin qui se complique la vie, qui au lieu de saisir sa chance prend le risque de la remettre en jeu. Mais un gamin qu'on aime pour ça.

Elle s'est levée d'un air joyeux, s'est approchée de moi, m'a embrassé sans me laisser le temps de l'immobiliser à nouveau entre mes bras.

À la plage allez, elle a dit. Je vais chercher Agustín. Rendez-vous dans une heure devant chez moi.

19

Ils étaient déjà en voiture quand je suis arrivé.
À l'arrière il y avait deux silhouettes. Agustín. Et un copain d'Agustín : Simon.

Nous avons roulé une demi-heure. Les deux gamins derrière parlaient d'un jeu vidéo auxquels ils n'avaient jamais joué. Se disputaient pour savoir à quel niveau il fallait affronter un monstre à mille têtes.

De chaque côté de la route les étangs et les champs de riz défilaient. Les enfants apercevaient des chevaux, un héron. La voiture bruissait de leurs éclats de rire.

Marie s'est garée au bord de la mer. Les garçons ont bondi dehors, se sont élancés comme s'ils n'en pouvaient plus de se retenir. Comme si l'euphorie trop longtemps contenue dans l'habitacle pouvait enfin exploser.

Nous les avons regardés courir vers l'eau, Agustín se jeter contre une minuscule dune dorée, Simon plonger à son tour dans le sable. Se relever tous les deux, repartir vers la mer en filant de plus belle.

Alentour la plage était déserte ou presque. Trois voitures. Un couple assis au bord de l'eau. Un homme et son chien en train de marcher sur la grève, à plusieurs centaines de mètres de nous. Et Agustín et Simon qui déjà s'amusaient, ventre dans le sable, pareils à deux crocodiles vautrés au soleil.

J'ai pris le ballon et nos affaires. Marie a refermé le coffre. Nous avons marché côte à côte. Avancé doucement sur la plage, nos pieds s'enfonçant, nous obligeant à produire un léger effort chaque fois.

J'ai pensé que j'adorais cela : marcher à côté de Marie. La voir avancer dans le soleil et l'air chargé d'embruns. La voir debout, verticale au milieu de la plage immense. Pouvoir à tout moment me rapprocher d'elle, effleurer ses cheveux, ses mains. J'ai savouré la délicieuse excitation de regarder ses jambes se tendre et se détendre tout près des miennes, de nous sentir proches, pas tout à fait l'un à l'autre encore mais presque.

Nous sommes arrivés au bord de l'eau. Agustín a couru vers nous, torse nu déjà.

On peut se baigner maman.

Vous avez vu le froid qu'il fait.

Nous on n'a pas froid maman je te jure. On n'arrête pas de courir on a chaud.

Si vous arrivez à rentrer dans l'eau, a dit Marie en haussant les épaules.

Agustín a bondi en signe de victoire. Il est reparti en courant vers Simon.

Elle a dit oui.

Nous avons posé nos affaires, nous nous sommes

assis. Avons admiré la mer. Le soleil sur la mer. Les pétroliers au loin. J'ai pensé qu'il ne faisait pas si froid. Que moi aussi, peut-être, tout à l'heure je me baignerais. J'ai enlevé mon pull.

Les gamins se sont mis en slip et ont couru vers les vagues. Au contact de l'eau nous les avons vus refluer en criant, rire, recommencer de risquer les orteils dans la fine pellicule du flux et du reflux. Entrer peu à peu dans l'eau jusqu'aux chevilles en continuant de crier à chaque vague, de se pousser l'un l'autre, de reculer soudain à l'approche d'une lame plus puissante.

Marie s'est allongée, a étendu les bras dans le sable au-dessus de sa tête.

J'ai regardé son corps offert, ses épaules relâchées, son visage renversé. Ses mains abandonnées dans le sable. Je me suis allongé près d'elle. Nous sommes restés un moment ainsi, mes jambes à quelques centimètres de siennes, le ciel sans nuage au-dessus de nous. La brûlure du soleil sur nos paupières. J'ai senti son pied qui caressait le mien.

Son téléphone a sonné. Sonné une première fois pendant une trentaine de secondes sans qu'elle bouge. Puis sonné une deuxième fois.

Elle s'est redressée, a cherché dans son sac. Elle a trouvé le portable, regardé l'écran.

C'est lui, elle a dit.

Tu déconnes.

C'est lui j'en suis sûre. 02 c'est la Normandie. Qu'est-ce que je fais je réponds.

144

Elle a répondu. J'ai reconnu la voix dans le téléphone. Marie.

Je n'ai pas bougé. De temps à autre un cri d'Agustín ou de Simon m'empêchait d'entendre. Mais la plupart du temps les mots de l'autostoppeur m'étaient audibles. Il était dans le Cotentin. J'ai froid putain, il disait. C'est beau ici, mais qu'est-ce qu'il fait froid.

T'es où.

Plage de Carteret. En face de Jersey et de Guernesey. Il fait beau, je pense à toi.

Tu penses à moi.

Je me suis levé, pour cesser d'entendre.

Nous aussi on est à la plage, a dit Marie après un moment. C'était mercredi il faisait beau on a sauté en voiture. Avec Simon le copain d'Agustín. Ils sont dans l'eau. Je te jure ils se baignent.

Marie m'a jeté un regard. J'ai vu qu'elle hésitait.

Sacha aussi est là, elle a fini par dire.

Dis-lui que je l'embrasse, j'ai soufflé avant qu'il ait eu le temps de réagir.

Il dit qu'il t'embrasse.

Le coup de fil a duré encore. Puis Marie a raccroché. Elle a posé son portable. S'est rallongée près de moi. J'ai eu l'impression qu'elle ne voulait plus penser à rien. Ne pas même chercher à comprendre par quel extraordinaire hasard il avait pu appeler justement ce jour-là, à cet instant précis.

Je l'ai sentie qui posait doucement sa tête contre moi.

Qui se relevait en entendant les voix des garçons se rapprocher brusquement.

On peut vous prendre vos serviettes maman.

Agustín revenu dare-dare comme si un sixième sens l'avait alerté. Nous obligeant à nous relever Marie et moi pour lui donner nos serviettes. Insistant pour avoir la mienne aussi.

Les deux les deux on en a besoin pour faire un piège.

Se mettant sans attendre à creuser un trou énorme à quelques mètres à peine de nous. Comme s'il ne voulait plus prendre le risque de s'éloigner.

Agustín papa vient d'appeler.

La voix de Marie s'efforçant de reprendre un ton de mère. Le gamin ne répondant pas, ne tournant pas même la tête vers elle.

Tu entends ce que je dis Agustín papa t'embrasse.

Continuant de jouer avec son copain comme s'il ne voulait pas entendre.

Marie obligée de hausser le ton.

Agustín dis donc tu me réponds quand je te parle.

Le gamin riant avec son copain de son insolence. La faisant quelques secondes encore attendre avant de répondre enfin d'un air crâne.

Oui j'ai entendu maman, d'accord.

20

Ce soir-là je me suis relevé au milieu de la nuit. Je me suis demandé comment c'était possible. Quel hasard avait pu faire qu'il nous appelle à la plage. J'ai regardé la carte envoyée d'Arromanches. Examiné le cachet pour m'assurer qu'elle était bien postée de là-bas. J'ai lu quelque chose comme Grandcamp 06-01-18 11 h. Je ne connaissais pas Grandcamp. J'ai vérifié qu'une localité de ce nom existait bien là-bas, en Normandie. Sur internet j'ai pianoté le nom de la ville, trouvé le site de la mairie, regardé une à une les photos de la plage immense à marée basse, les vues aériennes du port creusé à l'intérieur des terres. Les images des maisons surplombant la mer, du long ponton s'élançant vers le large jusqu'à la zone navigable même à marée basse. La photo en noir et blanc d'un navire de guerre baptisé du nom de la ville, coulé avec six cents victimes à bord, dans un port du Texas, à la suite d'une explosion causée par une fuite d'ammoniac. J'ai vérifié sur Google View la localisation du bureau de poste. Trouvé des vues de l'entrée.

Pensé que l'autostoppeur avait dû sortir par cette porte, le 6 janvier 2018, avant 11 heures.

J'ai regardé l'heure et la date sur mon ordi : Mar. 11 janv. 03:45.

Tout d'un coup j'ai su. Avec une parfaite netteté je l'ai vu, dissimulé quelque part dans la ville, tout près, à notre insu. Revenu depuis plusieurs jours déjà peut-être. Logé à quelques rues seulement d'ici. Dans l'un ou l'autre des hôtels de toute façon déserts à cette période. Peut-être tout près de chez Marie ou de chez moi. Se délectant d'observer notre vie en son absence. D'épier nos faits et gestes. De filer Marie ce matin lorsque chargée de courses elle avait décidé de faire un détour par chez moi. Se mordant peut-être les lèvres de nous découvrir en train de nous saluer tendrement devant la porte. De la voir monter chez moi. De la perdre pendant une heure. Puis deux. Ne pouvant s'empêcher ensuite de guetter sa redescente. De scruter son visage. De tenter d'y lire ses pensées. Sa bonne ou sa mauvaise humeur. Son trouble.

Je suis resté debout à boire un fond de café réchauffé au micro-ondes. Il m'a semblé le sentir tapi là, quelque part dans la nuit. Instruit peut-être de mon insomnie. Informé de tout par quelque caméra laissée branchée avant de s'en aller.

J'ai pensé avec vertige que peut-être il ne partait pas. Faisait mine de partir pour aussitôt revenir errer près de nous, comme un fantôme. J'ai pensé à Jean-Claude Romand, à tous les imposteurs qui plutôt que d'avouer qu'ils n'ont plus de travail passent leurs journées à faire mine d'être occupés, zonent du matin au soir sur les parkings, dorment et mangent dans leur voiture – jusqu'au jour où ils craquent, s'effondrent, ne supportent plus de mentir à tout leur entourage.

Je me suis assis dans le canapé hors d'âge.

J'ai voulu reprendre le Lodoli, m'y replonger un moment pour me changer les idées. J'en ai lu une page. Puis une autre. Puis j'ai réalisé que je ne les avais pas lues. Que j'en avais ânonné les lignes sans rien retenir. J'ai reposé le livre. Je me suis allongé sur le canapé. J'ai regardé le plafond. Fixé une vieille toile d'araignée que je n'avais jamais remarquée, nid à poussière qui devait être là depuis des années.

Je me suis levé, j'ai pris mes clés de voiture et mon manteau, je suis descendu.

Dehors j'ai trouvé la ville déserte. Les réverbères dérisoirement appliqués à éclairer le bitume, les branches nues des arbres, le silence, les chaussées rafistolées, luisantes.

J'ai marché cinq minutes jusqu'à ma voiture garée sur le boulevard, suis monté dedans. J'ai démarré, glissé entre les arbres de la contre-allée du boulevard, commencé à dériver en silence dans la ville morte. Me guidant au flair. Prenant à droite ou à gauche aux carrefours, sans autre boussole que mon intuition.

Je suis arrivé au fleuve. J'ai vu l'eau de l'autre côté du parapet, huileuse, noire, mal éclairée dans la nuit sans lune. J'ai fait demi-tour, suis reparti en sens inverse. J'ai longé les parkings aménagés au pied des remparts. J'ai pris le petit pont, roulé jusque dans la zone commerciale. L'espace s'est ouvert. Les réverbères se sont raréfiés, moins nombreux mais plus puissants, plus hauts, jetant de leur perchoir une lueur plus blanche sur les parkings immenses et vides.

J'ai scruté de loin les rares voitures stationnées à proximité du Géant Casino. Guetté le moindre bruit de moteur, la moindre loupiote allumée au plafond d'un habitacle. Je suis passé devant un petit Holiday Inn pareil à ceux où l'autostoppeur devait descendre les soirs où il avait envie d'une bonne douche, d'un lit chaud, d'une grasse matinée. J'ai atteint Mr Bricolage, La Grande Récré, Picard et les dernières enseignes de la zone, invariablement logées dans le même préfabriqué pataud, sinistrement parallélépipédique, morne. J'ai encore roulé jusque sous le pont de la voie ferrée.

Là j'ai senti mon cœur battre. Garée sur le parking d'un commerçant, j'ai aperçu une petite citadine de location. Une essence deux portes toute simple, modèle de base, avec le logo du loueur et le prix par jour affiché sur la portière arrière. J'ai vu quelqu'un au volant. Quelqu'un d'endormi, affalé en travers sur les deux sièges de devant. Un corps dont ne dépassait que l'épaule, dans un gros anorak vert kaki, comme il arrivait à l'autostoppeur d'en porter.

Je suis entré sur le parking, me suis dirigé vers le véhicule. Mes feux de croisement l'ont éclairé, frappant la plaque arrière de plein fouet, traversant tout l'habitacle, faisant saillir en ombre chinoise les dossiers des sièges. J'ai pensé que l'autostoppeur avait dû me sentir. Qu'il avait dû deviner que ces phares dans son dos, c'était moi.

Je me suis approché, suis venu me placer tout près de la voiture endormie, flanc contre flanc, à hauteur de la portière avant. J'ai lorgné sa silhouette allongée pour m'assurer que c'était bien lui. À ce moment il a bougé, comme s'il sentait mon regard par la vitre. Il s'est relevé, réveillé tout simplement peut-être par le bruit du moteur et la lumière des phares.

J'ai failli pousser un cri. Un visage aux yeux rouges de fatigue m'a fixé d'un air mauvais. Un type rasé de près, la quarantaine, en chemise blanche sous son anorak, qu'on aurait dit tout juste sorti du bureau pour venir passer la nuit là. Il a ouvert sa vitre.

Qu'est-ce que t'as qu'est-ce que tu veux.

J'ai bafouillé de plates excuses.

Il m'a regardé.

Tu cherches quelqu'un.

J'ai fait oui.

T'es allé voir du côté de la gare.

Du côté de la gare où ça.

Sur le parking.

Pas encore.

Essaie là-bas. Il y a toujours un ou deux types qui vont se mettre là pour la nuit.

Cela dit comme si chaque nuit des dizaines d'ombreux pareils à lui cherchaient le sommeil à l'abri de leur habitacle. Comme s'ils étaient toute une engeance à partager ce sort, une peuplade parallèle, insoupçonnée, méconnue : la tribu des dormeurs des parkings. La confrérie des fugueurs de tous bords obligés le soir de s'aménager à l'arrache un semblant de couchette au fond de leur voiture. L'amicale des affronteurs de froid et de solitude dérangés dix fois par nuit par des types comme moi aux phares aveuglants, par des branleurs de passage, par la police.

J'ai remercié d'un salut de la main. Je l'ai regardé remonter sa vitre, se rallonger, rejeter l'anorak sur ses épaules en guise de couverture. Je suis reparti doucement dans la nuit. Sur le parking de la gare j'ai examiné les voitures garées. Trop vieilles. Occupées par des types trop paumés.

J'ai encore louvoyé une bonne heure. Je suis rentré me coucher. J'ai retrouvé ma place sur le boulevard, toujours libre. Comme si de toute façon pas une voiture alentour ne s'était déplacée pendant les deux heures qu'avaient duré mes recherches. Je suis rentré à pied, en scrutant les façades toujours muettes. J'ai pensé qu'il était peut-être là. Qu'il avait peut-être tout vu.

Et puis je me suis dit que ce pouvait aussi bien être l'inverse. Qu'il était peut-être parti pour de bon. Qu'il ne reviendrait pas.

Je suis tombé sur mon lit. Je me suis endormi d'un bloc.

Quelques jours plus tard Marie a trouvé la grille de la maison ouverte.

Tu es là, elle a simplement dit en poussant la porte.

Elle ne m'a pas raconté la scène, c'est moi qui l'imagine. Je la vois qui entre, qui le devine attablé à la cuisine, à son endroit de prédilection, très exactement en face de la fenêtre, par laquelle il peut contempler le jardin, le rosier, boire son café sans cesser de guetter les oiseaux qui picorent la terre noire.

Tu es là.

Ces mots dits d'une voix calme. Sans joie ni animosité. Comme un constat.

J'ignore ce que l'autostoppeur répond. Je ne sais pas si Marie est longtemps distante. Ou si au contraire l'autostoppeur par une de ces pirouettes dont il a le secret réussit à lui arracher un sourire, à la toucher à nouveau.

Je veux croire qu'elle résiste. Qu'elle met quelques minutes au moins à lui revenir. Que notre plage a tout de même laissé des traces.

La vérité : je m'en fous. Je ne veux pas penser à cette scène. Je déteste y penser.

Je n'ai pas tout de suite su que l'autostoppeur était rentré. Je suis resté plus d'une semaine sans voir Marie ni Agustín. Je me suis demandé pourquoi Marie ne faisait plus signe. Je me suis inquiété. J'ai eu de la peine.

Et puis un jour sur la place j'ai aperçu l'autostoppeur et Agustín marchant côte à côte. L'autostoppeur commandant une gaufre au sucre pour Agustín. L'attrapant toute chaude encore des mains du vendeur, déposée sur un morceau de carton. La tendant au gamin.

Il m'a vu.

Sacha.

Je me suis approché d'eux. Agustín m'a dit bonjour en enfournant une grande bouchée. Nous avons cherché que dire.

Agustín m'a raconté la plage.

C'était bien, j'ai acquiescé. On a passé un bel après-midi.

Et toi, j'ai dit après un temps.

Il a cherché ses mots.

Moi je suis fatigué.

Fatigué du voyage, j'ai demandé.

Fatigué surtout du retour, il a souri faiblement.

J'ai attendu. Il a hésité.

C'est compliqué.

J'ai regardé ses petits yeux. Ses cheveux mal lavés. J'ai compris que les nuits étaient courtes. Qu'à la maison Marie et lui parlaient.

Ça va Marie.

Il a acquiescé doucement.

Ça va.

Je les ai regardés s'éloigner. Agustín appliqué à manger sa gaufre. Tout entier absorbé dans cet effort : empêcher que la moindre pincée de sucre glace tombe à terre. Marquant une pause à chaque nouvelle bouchée à engloutir. L'autostoppeur se retournant chaque fois d'un air un peu las. Lui disant d'avancer. L'attendant. Forcé de faire ce que font tous les parents du monde : attendre. Le gamin finissant de fourrer le nouveau pan de gaufre dans sa bouche. Courant 10 mètres pour revenir à la hauteur de son père. Tous les deux repartant.

Je me suis demandé s'il allait tout arrêter. Si tout allait se terminer ainsi. L'autostoppeur rentré. Définitivement revenu. Un moment j'y ai cru.

Et puis il est reparti.

J'ai croisé Marie la semaine suivante et elle n'était plus triste à présent. Il y avait en elle une joie nouvelle, dure, un peu effrayante. Et pourtant : une vraie joie. Résolue. Sincère. Féroce. La joie de l'affranchie. La joie de qui est blessé, en colère. Et de qui par cette colère se sent transporté. Galvanisé. Doué soudain d'une détermination inarrêtable.

J'ai senti que nos rapports étaient changés. Elle n'était pas tendre comme les autres jours. Elle ne m'a pas serré contre elle. Elle m'a embrassé vite fait, m'a demandé si je pourrais prendre Agustín le lendemain à la sortie de l'école. Si j'étais d'accord pour lui rendre ce service, m'occuper d'Agustín jusque vers 22 heures, qu'elle puisse aller avec Jeanne à une lecture à la librairie, puis au cinéma.

J'ai dit oui. À côté d'elle Agustín ne parlait pas, n'émettait pas la moindre protestation.

Agustín demain c'est Sacha qui te prendra à la sortie de l'école tu as entendu.

Cela dit d'une voix de toute façon sans appel. Avec un aplomb souffrant si peu la discussion que le gamin avait d'emblée fait profil bas. Se contentant d'acquiescer. De dire d'accord maman. J'ai entendu maman.

Marie s'est radoucie, nous a observés tous les deux en souriant.

Vous allez faire une belle équipe c'est sûr.

Mais il n'y avait nulle tendresse dans sa voix. Jusque dans son sourire elle était dure.

Je l'ai regardée passer machinalement sa main dans les cheveux d'Agustín. Prendre congé de moi comme d'un ami parmi d'autres.

Merci Sacha c'est adorable.

Avec cette distance que crée le prénom lorsqu'on le prononce en face.

Merci Sacha comme elle aurait parlé à un voisin ou un collègue.

Je l'ai regardée, debout dans la rue devant moi, incroyablement lointaine. Je me suis senti triste.

Le lendemain je suis allé chercher Agustín à la sortie de l'école. Nous sommes rentrés tous les deux à la maison. C'est moi qui ai ouvert la grille, tourné la clé dans la serrure. Poussé la porte.

J'ai accroché mon manteau dans l'entrée parmi ceux de l'autostoppeur et de Marie. Agustín a jeté le sien par terre et couru sans attendre vers l'armoire à jeux. Il en a sorti des cartes, un kit du petit chimiste, un jeu d'échecs.

On fait une partie.

Nous avons goûté, préparé deux grenadines. Puis nous nous sommes attablés autour de l'échiquier. Je l'ai laissé me prendre la reine. Puis une tour. Puis je lui ai pris sa reine à lui. Il a mangé mon fou, ma seconde tour, mes chevaux.

Je le voyais rire à chacune de mes bévues. Rire de son rire d'enfant euphorique. Incapable de se retenir d'exulter. Il jouait mieux que je n'aurais cru. Plus vite. Plus juste.

Il a tendu un piège grossier à mon deuxième fou. En voyant que je me laissais faire il s'est fâché très fort.

Tu me laisses gagner.

Il a balayé les pièces du revers de la main.

J'arrête de jouer tu me laisses gagner c'est nul.

Il a quitté la pièce.

Agustín. Agustín reviens.

Je suis allé le chercher dans le salon. Je l'ai trouvé roulé en boule dans le canapé. Je me suis penché sur son oreille.

Allez viens on en refait une et cette fois je te massacre.

J'ai vu son visage s'éclairer.

Cette fois je te jure je te bouffe tout cru.

Il a séché ses larmes, s'est relevé. Nous avons refait des grenadines. Replacé les pions sur l'échiquier.

À présent chaque pièce que je pouvais prendre, je la prenais. Je lui ai mangé un fou. Puis un deuxième. Puis un premier cheval. Il a serré les dents. M'a pris une tour. A déplacé un cheval pour menacer mon roi. J'ai tremblé de voir sa reine découverte. Il y a eu cinq secondes de suspens. Puis j'ai vu qu'il avait vu. Qu'il se mordait déjà les lèvres. Que je ne pouvais plus faire marche arrière. J'ai pris sa reine. En exagérant ma joie, pour rendre le coup moins dur.

J'ai vu ses yeux se remplir de larmes. Il n'a pas dit un mot. A voulu contre-attaquer tout de suite, en frappant à la tête : Échec au roi. Je lui ai dit qu'il ne pouvait pas. Que s'il faisait ça il était mort. Il a reculé son fou. Est resté trente secondes sans déplacer un pion. À tenter désespérément de trouver une issue. Je l'ai regardé, gamin en larmes, furieux comme un lion blessé. Extraordinairement, magnifiquement mauvais perdant. J'ai senti que je l'aimais encore plus.

À présent il était furieux, jouait vite. Nous ne disions plus un mot. Il m'a encore pris deux pièces puis je l'ai coincé : Échec et mat. J'ai voulu me lever, rompre la tension, changer de jeu. Il a replacé les pièces sur les cases. Il a exigé : Revanche. Je me suis rassis. Nous avons recommencé, plus concentrés encore. Jouant plus vite. Lui déplaçant les pions en les faisant claquer chaque fois sur les cases, avec rage. De nouveau l'écart s'est creusé.

Quand Marie est rentrée nous jouions toujours. Il y avait deux cartons de pizzas près de nous. Dans l'un ne restaient que des croûtes. Dans l'autre achevaient de refroidir deux parts de margharita.

Sept parties pour Sacha, deux pour moi, a dit Agustín en la voyant arriver.

Tu n'es pas couché Agustín.

Pas couché pas lavé, il a dit en riant.

Marie m'a regardé.

Mais il est 10 heures et demie.

Dix heures et demie, Agustín s'est exclamé, et j'ai vu qu'il n'en revenait pas plus que moi. Dix heures et demie déjà.

J'ai senti que Marie fulminait, qu'elle était tout près d'éclater. Puis qu'elle se ravisait. Se rendait à l'évidence. Était-ce si grave au fond. N'était-ce pas de loin le plus important, savoir que nous avions passé une belle soirée.

Elle a sorti deux bières, m'en a tendu une. S'est assise pour regarder la fin de la partie en mangeant une part de pizza.

Agustín a pris l'ascendant. M'a chipé une tour, puis la reine, aux anges que sa mère soit là pour voir ça. Au bout de dix minutes il a coincé mon roi, pour la deuxième partie d'affilée. Marie l'a embrassé et l'a soulevé pour le porter jusqu'à l'escalier.

Elle lui a caressé les cheveux et lui a dit monte. Monte et mets-toi en pyjama. Les dents et au lit.

Pas de douche, il a demandé incrédule.

Pas de douche ce soir non.

Je monte le coucher j'en ai pour deux minutes, m'a dit Marie en le suivant dans l'escalier.

Elle est redescendue cinq minutes plus tard. M'a trouvé manteau sur les épaules, prêt à repartir.

J'avais espéré qu'elle me retiendrait.

C'était bien le cinéma, j'ai demandé pour gagner du temps.

C'était bien de penser à autre chose. C'était bien d'être un peu dehors avec Jeanne. Merci.

Elle m'a raccompagné jusqu'à la porte.

N'hésite pas si d'autres fois tu as besoin, j'ai dit en l'embrassant. Ce sera avec joie.

En refermant la grille elle m'a lancé un dernier merci.

C'était chouette de vous voir tous les deux. Merci Sacha.

J'ai senti qu'elle était tout près de changer d'avis. Tout près de laisser sa dureté refluer et de me faire à nouveau une place. Blessé je n'ai pas eu le courage d'attendre.

Ne m'appelle plus comme ça, j'ai dit en me retournant. Ne me dis plus Sacha comme ça, comme à un étranger. Je le sais, que je m'appelle Sacha.

Tu as raison pardon, elle a souri d'un air triste.

Bonsoir Marie, j'ai dit en m'en allant.

Bonsoir Sacha.

23

Peu à peu l'autostoppeur a changé de méthode. Fini les autoroutes. Fini la France traversée à 130 à l'heure. Fini les berlines intérieur molletonné et les longs trajets confortables d'une aire à l'autre. Il s'est mis à envoyer des cartes postales de villages inconnus. Des vues d'églises, de petites places, de fontaines, de lavoirs. Nous avons compris qu'il passait, résolument, de l'autre côté de la rambarde. S'enfonçait dans le pays. S'égarait dans les vaisseaux secondaires du réseau routier. En explorait même les plus fins capillaires.

J'ai d'abord cru qu'il dérivait sans boussole, s'abandonnant au hasard des trajets.

Puis un matin j'ai trouvé devant ma porte une carte postée du village de Contes. On y voyait le panneau d'entrée du hameau, planté sur le bord d'une route dérisoire. Alentour les pâturages étaient gras. Tout était gorgé d'eau, les haies abondantes, l'herbe dans les fossés haute comme après six mois de pluie. Des vaches regardaient l'objectif d'un œil morne. On apercevait au loin une maison aux volets bleus, un hangar agricole, l'entrée d'un camping.

C'était beau comme nom : Contes.

Pas vu encore de petit chaperon rouge ni de grand méchant loup, écrivait l'autostoppeur. Pas même de petits cochons. Mais je bois l'eau du village comme Astérix la potion de Panoramix. J'en remplis des bouteilles pour tes prochains romans, Sacha. Ça pourra toujours servir on ne sait jamais.

La précédente carte était arrivée du Banquet, un minuscule hameau perdu dans la montagne Noire : gorges d'une rivière naissante, rebond de l'eau sur les rochers, sapinières, fraîcheur, mousse, champignons, clairières.

Celle d'avant, de Beausoleil.

Il y a eu un déclic dans ma tête. C'était son nouveau jeu. Sa nouvelle marotte.

J'ai croisé Marie deux ou trois jours plus tard. Elle aussi avait reçu des cartes. La première de La Fermeté : forêt de feuillus, petit manoir aux tourelles d'ardoise en pointe, cheminées rectangulaires, pelouse grasse. La deuxième d'Allons : forêt de pins à perte de vue, sousbois de fougères et de vagabondes, talus sablonneux, élevage de palombes, entrée d'un bistrot au fronton duquel on lisait : Le rendez-vous des chasseurs. La troisième de La Réunion : fougères arborescentes, végétation si dense qu'on aurait dit la jungle – ou était-ce simplement le nom du lieu-dit qui déteignait sur les plantes alentour, en redoublait la luxuriance, la faisait paraître plus exubérante, plus tropicale, plus vivace.

La Réunion, cent vingt-trois habitants, et pourtant il paraît qu'y arrivent plus de lettres qu'à Roquefort ou Marmande, écrivait l'autostoppeur. Cela pour une raison très simple : erreur de code postal. Chaque jour des dizaines, des centaines de ballots se trompent. Voulant envoyer leur courrier à La Réunion (l'île !), ils l'expédient dans ce trou du Lot-et-Garonne. C'est drôle, non ? Je vous embrasse de l'hémisphère sud mes deux chéris.

Un matin j'ai reçu une enveloppe avec une lettre dedans. Pas simplement une carte : une vraie lettre de plusieurs pages. L'autostoppeur écrivait de la petite ville d'Yves, au bord de l'Atlantique. Il avait vu sur la carte ce nom, celui de son père mort quinze ans plus tôt. Il avait immédiatement quitté l'automobiliste qui l'emportait vers La Rochelle. Ramé des heures pour atteindre le lieu-dit, la nuit tombée déjà.

La lettre était émouvante. L'autostoppeur racontait son arrivée nocturne dans cette petite ville côtière à mi-chemin de l'île de Ré et de l'île d'Oléron. Les premiers pas dans les rues désertes. L'impossibilité de comprendre comment était fichue la ville, d'en visualiser le plan, d'en repérer le centre. Il avait erré dans le froid, désespérant de trouver le moindre hôtel, n'en revenant pas de la cruauté de la situation : je suis chez mon père et je vais donc dormir comme un chien dans la rue ? Il avait fait les portières de toutes les voitures garées sur le bas-côté. Fini par en trouver une ouverte. S'était engouffré dedans, à bout de forces. Avait dormi là, grelottant de froid, son manteau et son sac pour toute couverture. Il s'était levé avant l'aube, pour éviter qu'on le surprenne. Avait attendu à un arrêt de bus que le jour se lève. Alors il avait eu un choc. La commune courait effectivement le long de la mer, la carte ne mentait pas. Mais il y avait, entre la mer et la zone habitée, une autoroute. Autant dire un mur. Plus qu'un mur. Le plus dangereux, le plus bruyant, le plus infranchissable de tous les murs. L'autoroute passait en surplomb, juchée sur un remblai qui barrait l'horizon. La mer n'était pas seulement inaccessible – elle était invisible. Rejetée dans un autre monde. Bref : il n'y avait pas la mer.

Il était resté calé là, en contrebas, à regarder les voitures et les camions passer en trombe. Le gifler chaque fois de leur souffle. Les voitures réduites à 10 centimètres de toiture qui flashaient au-dessus de la haie d'herbes folles Les camions découpés dans le sens de la longueur, comiquement rabotés, aplatis, tassés. Puis il avait voulu se dégourdir les jambes. Il avait vu les étangs. La multitude d'étangs. L'eau partout alentour. Les roselières. Les échassiers qui relevaient paisiblement la tête à son approche. Un cygne glissant sur l'eau sans un bruit, comme motorisé. Les garennes détalant à chaque pas qu'il faisait. Les taillis truffés d'espèces rares, de batraciens et d'insectes mieux protégés là que nulle part ailleurs. D'oiseaux peut-être rendus sourds comme des pots par le boucan ininterrompu des engins, mais survécus là plus nombreux que nulle part ailleurs au monde.

Les bords d'autoroute première réserve naturelle, disait la lettre avec un éclat de rire qu'il me semblait entendre jusqu'entre les murs de mon petit deux-pièces. Les rambardes d'autoroute et la vitesse des bagnoles comme moyen de défense le plus efficace contre l'incorrigible propension de l'homme à tout détruire.

Les jours suivants d'autres cartes étaient arrivées. De Balzac, de Duras, d'Espère pour moi. De Doux, de Sauveterre, de Sainte-Gemme pour Marie. De Joyeuse, de La Force, d'Ogres pour Agustín.

Cette correspondance était nouvelle. Elle nous amusait, Agustín et moi. Pour Marie, je ne saurais dire. Il y avait de l'excitation, une joie presque enfantine dans l'accueil qu'elle faisait à chaque nouvelle carte. Mais je sentais que s'y mêlait autre chose. De l'agacement. De la tristesse.

J'avais d'abord pensé que les envois de l'autostoppeur ne dureraient pas. Qu'il se lasserait vite. En négligerait un premier. Puis un deuxième. Qu'ensuite la brèche serait ouverte, les oublis se multiplieraient, peu à peu tout s'arrêterait et reviendrait à la normale : l'autostoppeur absent. Nous de nouveau sans le moindre indice de l'endroit où il pouvait bien se trouver.

Je m'étais trompé : il tenait bon. Toujours de nouvelles cartes arrivaient. Avec de nouveaux paysages. De nouveaux morceaux du pays que nous regardions tous les trois avec un peu d'envie. Vues de Saint-Pompont, de Champdolent, de Chancelade, de Bonnencontre. D'Angoisse, en hommage au reportage photographique qu'y avait jadis réalisé l'écrivain Édouard Levé, que j'adorais.

Vues de Rivière, de Cercles, de Vert, de Saint-Mars-du-Désert.

À présent nous pouvions reconstituer ses trajets. Localiser sur la carte, avec quelques jours de retard seulement, la succession des lieux qu'il avait visités. Deviner, avec un peu d'intuition, les villages d'où seraient postées les prochaines cartes. Pressentir que quittant Courant, près de Niort, il serait certainement attiré vers la mer par L'Aiguillon ou La Faute. Qu'il remonterait ensuite vers La Genétouze ou Saint-Paul-Mont-Penit. Ne pourrait s'empêcher d'aller saluer la Vie. De remonter jeter un œil à Vue, près de Nantes.

Une lettre arrivait pour Agustín, postée de La Flotte. Le gamin se jetait dessus, l'ouvrait, nous la lisait à Marie et moi : Capitaine Agustín ! Quand est-ce qu'on appareille tous les deux ? Tu es prêt ? Pour toi j'ai repéré Chapeau, où se trouve un arbre à chapeaux, vraiment rempli de chapeaux de toutes tailles et de toutes formes, qu'on peut décrocher quand on en a besoin. C'est très utile pour saluer les musiciens qui se produisent un peu partout dans le village. Puis si tu es d'accord nous irons à Vocance, où des voix nous appellent, et on verra bien ce qu'on leur répondra. Puis au Caire, dans les Alpes, puisque je sais que tu as toujours rêvé d'aller au pays des pharaons. À moins que tu préfères qu'on remonte ensemble le Nil et qu'on aille faire un tour à Saint-Affrique ? C'est possible aussi.

Agustín était ravi. Je cherchais sur la carte avec lui les

villages de Chapeau, du Caire, de Vocance. Nous comptions les heures de route jusqu'à Saint-Affrique.

En stop toujours prévoir le double, je lui disais d'un ton grave, et il m'écoutait avec le plus grand sérieux. Même si en général tu verras, ça va plus vite qu'on n'imaginait.

Embrasse ta mère pour moi, écrivait invariablement l'autostoppeur. Je vous aime.

Il était parmi nous. Parvenait même absent à se conserver une place à nos côtés.

Marie seule s'impatientait parfois.

Et nous. Est-ce qu'il a la moindre idée de ce qu'on vit nous. Est-ce que si on s'en allait il le saurait avant un mois.

Elle continuait de l'aimer. Son mélange de joie et de tristesse à l'arrivée des cartes me le disait. C'était ce qu'elle avait toujours chéri chez lui sans doute : qu'il aille par les routes. Qu'il lui échappe. Simplement, à présent je l'apercevais parfois songeuse, peinée. Peut-être lasse. Jaugeant la mince frontière entre ce qui était beau et ce qui ne l'était plus. Se demandant si cette liberté qui l'avait longtemps séduite n'avait pas pour effet à la longue de détruire la sienne.

Je repensais au fameux mercredi chez moi. Était-il oublié ? Nous continuions de nous voir, comme suspendus dans un temps étrange, arrêté, tout désir entre nous mis de côté. Une tendresse demeurait. Mais chaque jour qui passait jouait contre moi. Faute de nouvelle audace, les choses retournaient à la normale. Nos solitudes se reformaient. À présent j'étais furieux contre moi-même. Je voulais la tenir à nouveau contre moi. Revivre ce moment. Lui donner un tout autre dénouement.

24

Des polaroids continuaient de m'arriver par lots de dix ou vingt. C'était un envoi sec, sans recommandation ni mot joint, contrastant avec la fantaisie des cartes postales. Une enveloppe kraft rembourrée, les polaroids dedans, et mon adresse dessus. Au dos de chaque image je pouvais lire le nom et le prénom de l'automobiliste photographié, le trajet parcouru, le jour et l'heure de la rencontre. Dominique, Labrit-Sauternes, 11 janvier, 12h13-14h03. Odile et Jean-Pierre, Mirande-Auch, 8 janvier, 9h05-9h43. Geneviève, Casteljaloux-Miramont, 10 janvier, 9h48-11h12. Alice et Quentin, Lézignan-Villefranche-de-Lauragais, 6 janvier, 16h15-17h45. Paulin et Lucie, Fontvieille-Saint-Romans, 3 janvier, 15h43-16h07. Gérald, Lieuran-Clermont-l'Hérault, 6 janvier, 8h03-8h15. Judith, Le Banquet-Mazamet, 7 janvier, 11h15-12h02.

Je jetais un œil rapide aux visages, observais les paysages à l'arrière-plan, m'arrêtais sur un détail qui m'intriguait, sourire d'une fille de notre âge, extrême vieillesse d'un homme dont je m'étonnais que l'autostoppeur l'ait rencontré au volant d'une voiture, et pas simplement assis dans un fauteuil devant un feu de cheminée.

Chaque nouvelle série avait ses tons, sa couleur, due peut-être à la météo, peut-être à une même lumière qui avait enveloppé pendant toute la semaine le bout de France où se trouvait l'autostoppeur, baignant arbres et champs et routes d'un même ton reconnaissable longtemps après encore, comme cette résine dans laquelle on noie pour les conserver insectes et reptiles et qui, si différents soient-ils, leur donne ensuite un air de famille, les rattache à jamais à telle collecte précise, faite en telle année, par tel naturaliste, en tel point du globe. Certains séjours tout entiers verts – non seulement l'herbe grasse des champs et le feuillage des arbres mais les façades des maisons, les carrosseries des voitures, le goudron des routes. D'autres bleus, un bleu si intense et marin que tous les yeux tiraient vers le gris, tous les regards avaient quelque chose de métallique. D'autres encore blonds, si la main avait par hasard pioché un cliché plus ancien, estival, où partout les blés ondoyaient dans le fond.

À ma visite suivante chez Marie et Agustín je déposais la nouvelle enveloppe à côté des autres, dans le tiroir de l'atelier. Je conservais. Je stockais. J'étais l'archiveur des voyages de l'autostoppeur. Son témoin au sens propre : celui qui garde trace, qui plus tard attestera. Il m'arrivait de vider deux ou trois enveloppes sur la table. De rester à contempler les images étalées devant moi. Visages d'hommes et de femmes qui avaient sans le savoir ce point commun : avoir pareillement pris à leur bord cet homme. Avoir pareillement accepté de se laisser un instant capturer par lui. Prunelles fixant son objectif. Iris brillants qu'au bout de quelques minutes je replaçais dans l'enveloppe, les renvoyant à la nuit.

Un jour je les ai comptés : 1 432. J'aime autant l'écrire en lettres, c'est plus long, c'est le moins qu'on puisse faire pour évoquer pareille foule et le temps passé par l'autostoppeur à la rassembler : mille quatre cent trente-deux. Mille quatre cent trente-deux hommes et femmes serrés dans le tiroir. Mille quatre cent trente-deux visages de tous âges, de toutes régions, de tous métiers. Et lui qui avec tous avait passé un moment. Lui qui les avait l'un après l'autre rencontrés, côtoyés, photographiés. Fait entrer dans la lentille de son appareil pour semaine après semaine les rassembler là, dans ce tiroir où ils voisinaient comme une foule. Plus qu'une foule : une famille. La grande famille de ses automobilistes.

25

Il filait vers le nord. Nous pouvions suivre sa remontée, longeant plus ou moins la côte. De Nantes il avait
glissé vers la Bretagne, envoyé des cartes de La Mal-
houre (église à toit d'ardoises à deux pentes et clocher
en bulbe, minuscule place fleurie, cimetière, haies basses
d'ifs taillés au cordeau), de Grâces (détail d'un lion en
pierre du fronton de l'église Notre-Dame, statues voisines érodées par la pluie et le vent, comme fondues,
réduites à des amas coralliens ou végétaux informes).
De Plurien (façade à faux colombages de l'hôtel Le Bon
Cap, astrolabe et voiliers en peinture au-dessus de la
porte).

La fréquence des courriers ne faiblissait pas. Au dos
des cartes c'étaient des boutades, des jeux de mots, des
notes sur le vif. Parfois il écrivait juste : Je vous embrasse.
Je vous aime. Cela et rien d'autre que le nom du village
où il était, que nous tournions et retournions en tous
sens pour tenter d'y voir un sens : Soupir. Survie. Mer.
Port. Trève. Simple. Les Rousses. Abondant. Vif. Bizou.

Forcé. Les Chéris. Le Palais. Marquise. Réveil. Lama. La Ville. Luxé. Allègre.

Nous interprétions. Surinterprétions. Parfois c'était limpide : Saint-Augustin, envoyé à son fils. C'était reposant. Cela ne faisait pas un pli. Mais Porte-Joie envoyé à Marie. Lui disait-il qu'elle était son porte-joie ? Qu'il lui envoyait de la joie, comme une consolation, un baume ? Et Contres, qu'il m'avait envoyé à moi. Était-ce hostile ? Était-il fâché contre moi ? Contre le monde en général ? M'associait-il à ce cri de révolte ? Était-ce simplement qu'il trouvait cela beau, un village appelé Contres ? Des habitants capables de s'endormir chaque soir et de se réveiller chaque matin dans un lieu qui bravait jusque dans son nom le monde alentour ?

Un jour Marie a reçu plusieurs polaroids pris devant l'entrée du petit village de Viens. Il y avait un premier polaroid du panneau seul : Viens. Puis, prise sans doute par un tiers qui lui avait rendu ce service, une photo de l'autostoppeur debout en train de rire à côté du panneau : Viens, comme une demande explicite cette fois. Puis une troisième où, placé à droite du nom du village, il tenait son panneau de stop bien visible à hauteur de poitrine, avec dessiné dessus un grand point d'exclamation : Viens ! Enfin un dernier cliché sur lequel il avait cette fois deux points d'exclamation, un dans chaque main : Viens !!

J'ai senti que Marie était émue. Mais qu'à sa joie se mêlait de la tristesse. Venir le rejoindre où ? Sauter dans une voiture et s'en aller le retrouver devant l'église de quel village distant de plus de 1 000 kilomètres?

Dans une carte arrivée le lendemain, l'autostoppeur écrivait de Zuytpeene, à la frontière de la Belgique. La dernière ville de l'alphabet, il expliquait fièrement. Un type a déjà entrepris de les visiter toutes, en commençant par A. Moi je fais l'inverse. Je débute par la dernière. Le coin est plein de villes en Z. Zuydcoote, Zutkerque, Zoteux, Zouafques, Zudausques, Zegerscappel. Presque toutes les autres sont en Corse. Zuani, Zonza, Zilia, Zigliara, Zicavo, Zevaco, Zérubia, Zalana. Comment tu expliques ça? Par quel étrange hasard faut-il que les villes du bout de l'alphabet soient aussi celles des extrémités du territoire?

Marie n'a pas souri à ces nouvelles. Elle m'a regardé d'un air triste.

Je n'en peux plus Sacha.

J'ai pensé ce qu'elle devait penser souvent: qu'il était comme un gamin à présent. Un enfant un peu fou, dont nous suivions de loin les frasques. Avec attendrissement. Avec fatigue aussi parfois.

Nous étions tous les deux chez moi. Pour la première fois depuis longtemps, elle était revenue me rendre visite. Son visage était fatigué, ses yeux cernés par le mauvais sommeil. En la regardant je ne pouvais m'empêcher de repenser au mercredi d'avant la plage. De sentir à nouveau son odeur. Ses baisers. Ses caresses. De nouveau elle était là, tout près.

J'ai besoin de partir moi aussi je crois.

J'ai dit oui.

J'ai besoin d'être seule. Seule nom de dieu. Seule. Je ne suis jamais seule.

Elle est venue se serrer contre moi. J'ai senti l'odeur de ses cheveux. J'ai embrassé ses tempes.

Je vais te garder Agustín.

Je l'ai serrée plus fort.

Va où tu veux je reste avec lui. Je viendrai m'installer chez toi. Je travaillerai le jour à la table de la cuisine devant la fenêtre. Le soir j'irai le chercher à l'école. On se débrouillera comme des chefs tu verras.

J'ai senti sa tête qui acquiesçait doucement contre ma poitrine. La tendre pression de sa tête plantée contre mon torse. La boule de chaleur de sa tête qui disait oui.

26

Le lendemain je suis allé chercher Agustín à la sortie de l'école. Il m'a vu de loin, a marché vers moi. Nous sommes rentrés tous les deux. Je l'ai laissé ouvrir la porte. Il a peiné à faire tourner sa clé dans la serrure. Nous avons souri.

Heureusement que je suis là dis donc.

D'un coup d'épaule il a poussé le panneau de bois.

Nous nous sommes retrouvés tous les deux dans le couloir.

Ce soir burgers maison, j'ai annoncé en me mettant à la cuisine, la démagogie absolue.

Burgers du chef tu vas voir ce que tu vas voir, et Agustín a applaudi.

Nous avons dîné, regardé le quart d'un western puis la moitié, puis le western entier.

À 10 heures je l'ai couché et je me suis retrouvé seul dans le salon. J'ai regardé parmi les disques qui étaient là, aisément deviné ceux qui étaient plutôt à l'auto-stoppeur, du folk et du rock des années 1970, ceux qui venaient plutôt de Marie, de la musique baroque, des chants traditionnels italiens, de la musique d'Afrique de l'Ouest, du Leonard Cohen.

J'ai mis des motets de Bach. J'ai allumé mon ordinateur, ouvert le dernier fichier word en chantier. J'ai regardé si Marie avait cherché à me joindre. J'ai vu que non. Je lui ai envoyé un mot : Tout va bien ici. Burgers maisons western. La vraie vie. On t'embrasse. Les dix minutes suivantes j'ai guetté sa réponse. Elle n'est pas venue.

Vers minuit je me suis demandé où j'allais dormir. Marie ne m'avait rien dit. Je suis monté. Devant la chambre au grand lit j'ai hésité. Je me suis approché. J'ai regardé les objets posés sur la commode. Des romans de Jim Harrison. Un livre de Susan Sontag sur la photographie. Un roman d'Antonio Moresco en italien, dans une édition de poche. Une pince à cheveux. Un petit bracelet.

J'ai fait le tour du lit pour voir ce qu'il y avait de l'autre côté. Trouvé une paire de chaussures usées, près d'un petit meuble placé là en guise de table de nuit. Un numéro du *Matricule des anges* consacré à Roberto Bolaño. Un *Guide bleu* de la France des années 1950. Un polar islandais.

Le dessus-de-lit était beau, cousu dans de grands pans de tissu africain bleu nuit, orné de très fins motifs pourpres. J'avais déjà vu ce tissu : l'autostoppeur me l'avait montré autrefois, au retour d'un de ses voyages en Afrique de l'Ouest. C'était lui qui l'avait cousu. Lui qui avait construit le lit tout entier, plus large que la normale, les pieds taillés dans des chutes de poutres de sections inégales, le sommier bricolé avec des planches rapportées de chantiers. Tout cela fait de ses mains. À la fois rustique, un peu lourd, et fantastiquement noble.

Je me suis allongé pour voir. J'ai respiré l'odeur des draps. Pensé que peut-être dans ces draps-là il n'avait pas dormi. Que c'étaient les draps de Marie et de Marie seule. J'ai pensé à Marie dans le lit. J'ai pensé aux coucous qui se glissent dans le nid des autres oiseaux et les délogent. Je suis un putain de coucou, je me suis dit en riant. Je suis un foutu coucou éhonté – à cette différence près que je ne balance pas par-dessus bord la couvée des autres, au contraire je la protège, j'en prends soin, je me comporte avec les petits des autres en vraie maman. Je suis un foutu coucou pas même foutu de vivre en coucou jusqu'au bout. Et j'ai compris que je n'allais pas dormir dans le lit de Marie. Que je n'en avais pas envie. Pas sans elle.

Je suis resté sans nouvelles le lendemain. Le surlendemain.

Le troisième jour j'ai voulu lui téléphoner. Je suis tombé sur sa messagerie.

J'ai réessayé deux heures plus tard.

Bonjour vous êtes bien sur le répondeur de Marie. Merci de me laisser un message.

Je me suis demandé s'il fallait que je m'inquiète. Si c'était mon devoir de signaler au commissariat ce qu'il faudrait bien appeler, si je prenais la décision de l'officialiser, sa *disparition*. J'ai pensé au remue-ménage qui s'ensuivrait. J'ai revu son visage la veille du départ. Réentendu le ton calme de sa voix au moment de m'annoncer : j'ai besoin de partir. Un ton décidé, serein. Pas le ton de quelqu'un qui est perdu. Je ne suis pas allé au commissariat. J'ai cessé de laisser des messages sur son répondeur. Je l'ai attendue. Je me suis contenté, jour après jour, de m'occuper d'Agustín. J'ai constaté qu'attablé dans la cuisine je travaillais bien. Qu'assigné à résidence chez Marie j'avançais même beaucoup mieux que chez moi. Je me suis fié à Agustín. À sa tranquillité. À sa parfaite absence d'inquiétude à entendre chaque soir à son retour de l'école la même réponse : pas de nouvelles de ta mère non. Comme si ces mots glissaient sur lui. Comme si je l'informais qu'on attendait toujours l'arrivée d'un magazine auquel il était abonné et dont il était de toute façon inconcevable qu'il ne finisse pas, tôt ou tard, par lui être expédié.

J'ai reçu un matin un appel d'un numéro inconnu. J'ai senti mon cœur battre.

Sacha.

J'ai reconnu la voix de l'autostoppeur. L'autostoppeur plus que jamais à côté de la plaque, plus que jamais dans son monde, coupé de tout, hors sujet. Redevenu celui qui avait fini, vingt ans plus tôt, par m'user. Je l'ai écouté me raconter je ne sais quelle galère récente dont il était sûr que je ne croirais pas mes oreilles, m'entretenir des plantations de betterave du Nord qui n'étaient pas qu'un mythe, de la mer du Nord qui l'avait bouleversé, je te jure Sacha tu aurais vu hier cette lumière, un blabla comme d'ordinaire autocentré qui un autre jour m'aurait peut-être fait sourire mais que ce matin-là je n'avais tout simplement pas pu entendre, pas réussi à écouter, mes oreilles s'y refusant, mon corps tout entier se cabrant contre la poursuite de ce coup de fil voulu par lui, initié par lui, prolongé par lui qui par-dessus le marché y mettrait tout à l'heure fin, raccrocherait à l'instant précis où il le déciderait en prétextant quelque vague besogne à terminer, une course à faire, un rendez-vous, n'importe quoi.

Pensant va te faire foutre.

Va te faire foutre avec une violence qui m'avait moi-même surpris.

Me rendant brusquement compte que je ne le supportais plus. Que sa seule voix, à force d'absence, m'était devenue pénible.

Un vrai ami lui aurait peut-être dit. Moi-même quelques jours plus tôt encore peut-être je l'aurais probablement coupé.

Au contraire j'avais jubilé de voir qu'il ne savait rien. J'avais jubilé d'entendre qu'il ignorait tout de la situation, tout du départ de Marie, tout de l'endroit où je me trouvais à l'instant précis où il me parlait. Tout du fait que je dormais sous son toit depuis plusieurs jours, que c'était moi qui veillais sur son fils. Tout du fait qu'à l'instant même où il me parlait j'étais assis dans sa cuisine, devant la fenêtre de son jardin.

Je l'ai laissé patauger. Se planter sur toute la ligne. Me demander des nouvelles de Marie comme s'il n'y avait pas la moindre raison que les choses ne suivent pas paisiblement leur cours. J'ai raccroché. Je suis sorti prendre l'air dans le jardin. J'ai marché dans l'herbe mouillée, glacée. J'ai regardé les branches du laurier immobiles, empesées par des semaines de froid.

Va te faire foutre, cela pensé dans un éclat de rire intérieur dont je ne me suis pas senti fier, mais qui m'a fait du bien.

27

Marie est rentrée au bout de dix jours. Vers 2 heures du matin.

Je me suis réveillé en entendant la serrure grincer en bas, comme elle grince toujours, atrocement. J'ai pensé que c'était elle. J'ai appelé doucement : Marie. J'ai entendu des bruits de pas dans la cuisine. Le bruit d'un verre rempli d'eau, bu puis reposé sur la faïence de l'évier.

J'ai tendu l'oreille, du fond du grand lit où je m'étais résolu à dormir à présent, avant tout par commodité, incertain du nombre de nuits qu'il me faudrait encore passer là.

J'ai pensé qu'en bas ce pouvait aussi bien être lui.

Et puis aux bruits de pas légers dans l'escalier je l'ai reconnue elle. J'ai de nouveau appelé : Marie. J'ai vu sa silhouette entrer dans la chambre. Je l'ai vue s'avancer dans l'obscurité. J'ai senti son odeur. J'ai entendu le froissement de ses habits. J'ai compris qu'elle se déshabillait, dégrafait sa robe, dégrafait son soutien-gorge, se baissait pour ôter ses collants et son slip. Tout cela sans pudeur. Comme si je n'étais pas là. Comme si elle était seule, ou distraite, ou tellement épuisée qu'elle ne me voyait pas.

Marie ça va, j'ai demandé.

J'ai senti mon sang battre. Je me suis redressé pour la regarder dans l'obscurité, debout à 2 mètres de moi, nue. Le buisson noir de son sexe que je découvrais pour la première fois. Les courbes de ses épaules, de ses seins.

Elle a levé les bras pour détacher une pince de ses cheveux, l'a déposée sur la commode. Et puis elle a fait le tour du lit, soulevé un pan de la couverture, s'est glissée contre moi.

J'ai voulu me lever, l'empêcher de se coucher déjà, lui demander de rester debout encore devant moi, que je la regarde. J'ai souri de la sentir contre moi déjà, de sentir ses jambes m'enlacer, son bassin venir se serrer contre le mien. Sa chaleur. La chaleur de son sexe contre le haut de ma cuisse.

Marie ça va, j'ai encore demandé, mais c'est plutôt à moi qu'il aurait fallu poser la question.

Elle s'est coulée le long de mon corps, m'a fait entrer en elle. Je l'ai regardée dans l'obscurité, assise sur mes cuisses, allant et venant doucement, ses seins dans mon visage. Je les ai pris dans ma bouche en fermant les yeux. Elle y est allée plus fort. Je me suis abandonné à sa chevauchée ample, profonde, bonne. J'ai senti le plaisir creuser mon ventre, le creuser un peu plus à chaque coup de reins. J'ai dû dire quelque chose comme attends,

attends tu vas me tuer. Elle a continué sans ralentir et je n'ai plus réussi à me retenir, je suis venu, elle a encore couru un moment sur son erre et puis elle est venue aussi, elle a ralenti, elle s'est arrêtée, s'est couchée contre moi pour m'enlacer de tous ses membres, m'écraser de tout son poids.

Marie, j'ai dit.

Sacha.

Non : le fameux Sacha.

J'ai senti le souffle de son rire dans mon cou. Nous nous sommes tus. J'ai collé mon visage contre le sien, senti de l'eau sur ses joues.

Ça va, j'ai demandé.

Ça va.

J'ai voulu essuyer son visage, senti les larmes qui ruisselaient jusque dans sa bouche.

Ça va tu es sûre.

Elle a acquiescé en silence.

Je suis crevée. Je suis crevée il faut que je dorme.

Dors.

Elle a caché sa tête dans mon cou. J'ai senti ses joues mouillées contre ma peau. Le goût salé d'une larme arrivée jusque dans ma bouche.

Pardon, elle a dit.

Pardon de quoi.

D'être épuisée comme ça.

Je vais descendre, j'ai dit.

Descendre où ça.

Je vais aller dormir en bas.

Non reste.

Agustín va voir qu'on a dormi ensemble.

Je m'en fous, elle a dit. Je m'en fous complètement.

Elle s'est levée pour aller aux toilettes. Est revenue dans le lit se blottir contre moi.

Je peux dormir contre toi Sacha.

Je l'ai enlacée. Elle a posé sa tête sur mon torse. L'y a vissée. À l'endroit du sternum, comme si elle voulait se loger entre mes côtes, demeurer au plus près de mon cœur, en entendre toute la nuit les battements. Je suis resté sans bouger, heureux, plus qu'heureux. J'ai pensé que jamais elle ne s'endormirait, tellement mon cœur battait fort. Elle s'est endormie dans les cinq minutes. Je suis resté sans oser déplacer le moindre de mes membres. Aussi éveillé que si je venais déjà de dormir toute une semaine d'affilée.

Le matin le réveil a sonné, j'ai senti que Marie était toujours là, contre ma poitrine. Aussi immobile qu'une pierre. Je me suis tout doucement dégagé d'elle. Je me suis levé, j'ai pris une douche. Suis allé réveiller Agustín.

Comme tous les matins nous nous sommes préparés. Avant qu'il parte, je lui ai dit que Marie était rentrée pendant la nuit. Qu'elle dormait. Qu'il la verrait le soir. Il a immédiatement reposé son sac, grimpé l'escalier en trois foulées, couru jusque dans la chambre de sa mère. Je les ai entendus s'embrasser.

L'école, je n'ai pu m'empêcher de dire. L'école Agustín, le portail va fermer.

Deux minutes Sacha, a répondu Marie. On s'embrasse.

Agustín est descendu, a couru jusqu'à l'école, a dû réussir à y entrer à temps, n'est en tout cas pas revenu. Je me suis fait un café. J'ai commencé à le boire devant la fenêtre.

Dehors il faisait gris. Un temps d'hiver triste, comme il ne faisait pas souvent à V. J'ai entendu dans l'escalier les pas de Marie. Je l'ai vue apparaître au bas des marches, tombée du lit, rhabillée avec ses vêtements de la veille, descendue sans prendre le temps d'une douche. Elle est venue s'asseoir près de moi. N'a pas demandé de nouvelles d'Agustín. Pas demandé comment ça s'était passé entre nous pendant son absence. Comme si cela allait de soi. Comme si évidemment tout s'était bien passé, elle n'en avait jamais douté. Elle a regardé par la fenêtre le jardin comme si elle le retrouvait après un long voyage. Les bourgeons sur le rosier taillé deux mois plus tôt.

Il repart déjà le rosier.

J'ai dit oui.

Et le plumbago.

Le plumbago était là, devant la fenêtre. Pas franchement reparti encore, pour ce que j'en pouvais juger. Marie est sortie l'inspecter. Elle a continué son tour du jardin. Vérifié qu'elle n'avait pas taillé trop sec la verveine et le laurier-rose. Que le paillis au pied du petit olivier était assez épais pour le protéger du gel. En passant près du coin aux plantes aromatiques elle a regardé la sauge, ébouriffé les feuilles vert pâle et velues poussées de toutes parts.

Ce que ça peut bouffer comme place cette maudite sauge. Bientôt elle aura carrément eu la peau de la menthe.

Elle s'est encore promenée une minute ou deux dans le jardin, indifférente au froid, de fines chaussures aux pieds, un léger pull noir pour tout haut. Elle est revenue s'asseoir à côté de moi dans la cuisine. A enfin semblé se rappeler ce qui était arrivé pendant la nuit.

On a bien dormi, elle a dit en me regardant.

Tu as bien dormi, j'ai corrigé en riant. Moi j'ai mis deux heures à trouver le sommeil.

C'est une blague, elle a demandé en souriant.

J'ai secoué la tête.

C'est pas du tout une blague. Comment tu voulais que je dorme après ça.

Elle a ri. Je lui ai fait une tasse de café, l'ai déposée devant elle sur la table.

Alors, j'ai demandé.

Alors quoi.

Alors ce voyage.

28

Ce matin-là Marie a parlé longtemps.

Elle s'est placée devant la fenêtre, dos au jardin. Elle a bu une gorgée de café comme pour prendre son élan, se donner du courage. Par les carreaux, derrière elle, j'ai regardé les feuilles du laurier remuer doucement dans le vent.

Je suis d'abord allée voir Jean, elle a commencé.

Je ne savais pas qui était Jean. Je n'avais jamais entendu parler d'un Jean.

J'ai senti qu'elle hésitait.

Jean est un amoureux que j'ai eu autrefois, du temps de mes études à Paris. Un copain de la fac de lettres avec lequel j'ai vécu quelques mois à l'époque, dans une chambre de bonne où il logeait, près du jardin de l'Observatoire, sous les toits. Un jour il a eu une bourse pour aller passer une année en Allemagne. Il est parti et notre histoire s'est arrêtée. On avait vingt ans et on n'allait pas vivre séparés par 2 000 kilomètres. Pas à notre âge.

J'ai vu qu'elle souriait en repensant à la séparation

d'alors, à ce qu'elle avait eu sans doute de déchirant, d'un peu théâtral.

Je l'aimais bien ce Jean. Vraiment il me plaisait. On était amoureux, c'était la première fois que je l'étais pour de bon. On s'est dit qu'on se retrouverait, que chacun allait vivre un peu d'abord. Et puis les années sont passées, chacun a fait des rencontres, j'ai appris qu'il avait eu un enfant, j'ai eu Agustín moi aussi. Un soir le téléphone a sonné, c'était il y a peut-être six ou sept ans, nous habitions déjà dans cette maison. Nous étions tous les deux dans la cuisine, nous buvions un verre en cuisinant, Agustín n'avait pas deux ans, il jouait dans le salon. En répondant j'ai reconnu la voix de Jean. Marie c'est toi. Alentour tout était calme. Je peux décrire précisément l'odeur qu'il y avait dans la cuisine, une odeur de piment chipotle, du piment fumé mexicain, je venais d'en mettre dans la poêle, c'est une des odeurs que je préfère, au loin j'entendais le babil d'Agustín, dehors il faisait déjà nuit.

Marie c'est Jean pardon si je te dérange, je voulais juste prendre de tes nouvelles. Savoir si dans ta vie tu étais heureuse. Si tout allait bien.

J'ai eu un moment de vertige. Je me suis tue. Nous étions là tous les deux, à un mètre à peine l'un de l'autre. Je le revois debout devant les plaques de cuisson. Je le revois qui entend mon silence, qui lève la tête, qui ne peut s'empêcher de tendre machinalement l'oreille.

J'ai dit oui. J'ai pris mon souffle et j'ai dit oui. Je n'ai pas demandé à Jean de ses nouvelles. J'ai simplement dit que j'étais heureuse. J'ai dit ces mots étranges que je ne pense pas avoir dits une seule autre fois au téléphone, a souri Marie, et je les ai dits devant l'homme avec qui je vivais, qui se trouvait précisément là, tout près de moi, en train de cuisiner. L'homme que ce verdict concernait au premier chef. Qui aurait immédiatement vu sa vie bouleversée si j'avais fait à la question de Jean une autre réponse que celle-là.

Oui je suis heureuse, cela non pas comme on le fait parfois, sans bien peser chacun des mots qu'on prononce, comme une phrase un peu en l'air, même si ce ne sont pas franchement les mots qu'on articule le plus volontiers à la légère, rien qu'à les prononcer on sent bien ce qu'ils engagent d'essentiel, aussitôt une voix se cabre en nous et nous met en garde, as-tu bien pesé ce que tu dis nous ordonne-t-elle, penses-tu vraiment ce que tu affirmes, es-tu bien sûr que tu ne triches pas.

Jean a raccroché et il y a eu un silence dans la pièce. L'appel avait duré trente secondes en tout, une minute au plus. Et pourtant le silence qui lui a succédé était impressionnant.

C'est un ancien amoureux, j'ai fini par dire. Il se tenait à peu près là où tu te tiens maintenant. Il a continué de couper les tomates en quartiers et de les faire glisser dans l'huile sans rien répondre. Je lui ai raconté ma vie d'étudiante avec Jean. Le départ de Jean pour l'Allemagne. Notre promesse de nous retrouver un jour. Je lui ai dit la vérité : que le coup de fil de Jean me retournait un peu. J'ai attendu sa réaction. Il m'a demandé si je voulais qu'on parle. Si j'allais partir. Cela demandé pour de vrai, c'est peut-être la seule fois où je l'ai vu vaciller.

Marie s'est levée, a repoussé le tabouret, s'est adossée au radiateur, comme si elle avait besoin de se réchauffer, ou d'être plus libre de ses mouvements. J'ai cherché à lire l'expression sur son visage, mais dans le contre-jour je distinguais mal ses traits.

Je lui ai répondu que j'étais là. Je lui ai répété que j'étais heureuse avec lui.

N'ai-je pas été limpide dans ma réponse à Jean, j'ai demandé. Ai-je laissé la moindre place au doute, et il n'a plus insisté, il a continué de faire dorer les tomates comme si nous n'avions pas parlé. Comme si ce chapitre n'avait pas même été ouvert. Bientôt le repas a été prêt et à table allez, il a simplement dit, et rien dans son attitude ne semblait altéré par ce qui venait d'arriver, il s'est assis avec le plus parfait calme, tu le connais, m'a dit Marie, je suis sûre que tu peux l'imaginer, il a mille défauts mais pour ce qui est de la classe, il n'en manquera jamais.

J'ai repensé à Jean pendant quelque temps. Je me suis demandé s'il vivait toujours à Paris. S'il était toujours correcteur pour cette maison d'édition où nous rêvions autrefois de travailler. J'ai regretté de ne lui avoir posé aucune question. Et puis c'est étrange comme la vie est faite, a souri Marie. Un jour j'achète la traduction d'un livre que j'aurais voulu traduire moi, un petit livre d'un auteur sarde tout à fait inconnu mais qui m'a toujours été cher, Luca Sau, son unique roman, à peine cent pages, une merveille que dix fois peut-être j'ai proposée à des éditeurs, en vain. J'ouvre le livre. Et je vois que c'est Jean qui l'a traduit. Pour une petite maison dont je n'avais jamais entendu parler, La forêt obscure, emprunt évident aux premiers vers de *L'Enfer* de Dante, *Nel mezzo del cammin di nostra vita / Mi ritrovai per una selva oscura.*

Rentrée chez moi j'ai cherché sur internet. J'ai appris que la petite maison était domiciliée à Sète, tout près d'ici. Que le fondateur et l'unique employé en était Jean. Comme s'il l'avait créée pour ça : publier ce petit livre dont personne ne voulait. Le traduire d'abord, lui qui adorait l'italien mais n'avait jamais osé se lancer dans la traduction. Puis le publier, puisque personne d'autre ne s'y décidait.

Elle a cessé de s'appuyer contre le radiateur. Elle s'est redressée, est allée chercher parmi les livres du salon. Est revenue avec un volume jaune. D'un jaune doré. Exactement le jaune que je cherche depuis des mois pour mes toiles, ai-je tout de suite pensé. J'ai lu le titre. Luca Sau, *La vie passagère*. J'ai feuilleté les pages. Senti le papier plier délicatement sous mes doigts. Un beau papier, épais, ferme. J'ai rendu le livre à Marie. Remis du café à chauffer.

Tu lui as dit que tu étais tombée dessus.

Elle a secoué la tête.

C'était impossible que je ne tombe pas dessus. Il le savait très bien. Tôt ou tard je ne pouvais que tomber dessus. Ils ne sont pas si nombreux, les lecteurs de Sau.

Mais tu ne l'as pas recontacté.

À l'époque non. J'ai simplement lu le livre. Trouvé que la traduction de Jean était superbe. J'ai eu envie de le féliciter, de le remercier. Je ne l'ai pas fait. C'est la semaine dernière seulement que c'est revenu. J'étais tellement en colère. Je me disais : quel con. Mais quel con. Je parle du père d'Agustín bien sûr, pas de Jean. J'ai pris la voiture et foncé à Sète.

J'ai regardé Marie éclater de rire comme si une semaine après encore elle en exultait.

Tu ne peux pas savoir comme j'étais joyeuse dans la voiture. Comme je me sentais libérée. Je me suis garée et j'ai couru à la maison d'édition, dans l'une des petites ruelles au-dessus du port. Vingt fois j'avais regardé sur internet où c'était. Une toute petite impasse, perpendiculaire à la rue Rouget-de-Lisle. J'ai sonné sans prévenir, il aurait pu y avoir sa femme, ses enfants, j'aurais pu le déranger, je ne savais rien de sa vie. Je l'ai trouvé seul. Sans enfants ce week-end-là, sans femme. Séparé depuis des années.

J'ai tendu à Marie une nouvelle tasse de café, elle a soufflé dessus pour en chasser la vapeur.

On a passé trois ou quatre jours ensemble. On s'est baladés. On a lu. On a fait l'amour. Il m'a fait visiter la maison d'édition, montré les étagères avec la dizaine de titres désormais au catalogue, des traductions de l'italien, du catalan, du grec. Il m'a demandé mon avis sur des projets qui le faisaient hésiter. Il nous a semblé que nous n'avions pas beaucoup changé. Que c'était même fou, que nous ayons si peu changé.

Et puis.

Et puis rien, a dit Marie en souriant calmement. Parfois c'est bien de revenir à d'anciennes amours. On les vit une fois pour toutes. On arrête de se raconter que ça aurait pu marcher. On voit qu'en tout cas c'est trop tard.

Elle s'est tournée, a entrouvert la fenêtre pour laisser passer un peu d'air.

Au bout de trois jours avec Jean, ce que j'ai vu surtout, c'est que l'autostoppeur continuait de me manquer. Que je me demandais à chaque instant où il était, ce qu'il faisait. Que celui avec qui j'avais envie d'être, là maintenant, tout de suite, ce n'était pas Jean, c'était lui.

Marie savait que ces mots n'étaient pas seulement durs pour Jean. Qu'ils l'étaient aussi pour moi.

Le matin du quatrième jour je me suis levée de bonne heure. J'ai repris ma voiture. Je suis partie plein nord. J'ai cherché sur la carte Zuytpeene, Zutkerque, Zuydcoote. Tous ces fichus bleds en Z où il avait dit qu'il était passé. J'ai roulé toute la journée. Regardé pendant des heures le paysage défiler, les champs blanchir à mesure que je remontais vers le nord, les plantes et la terre se couvrir de givre. Je n'étais plus joyeuse à présent. J'étais triste. Affreusement triste. Je ne sais pas si de ma vie j'avais déjà été aussi triste. Comme si je savais d'avance que tout était fichu. Comme si j'allais à sa rencontre sans y croire, moins pour renouer que pour définitivement le perdre.

Je me suis retrouvée au milieu de champs nus, ras, terreux. Tout m'a semblé terne d'un coup, la palette des couleurs comme resserrée, réduite à quelques nuances pauvres, le marron des champs, le vert pâle des salades givrées, le plastique blanc des serres. Le paysage entier s'est embrumé. Une fine pluie s'est mise à tomber, voilant tout, gommant les contours des arbres et des objets, réduisant le paysage à des lignes douces, les couleurs à de grands pans d'espace pâle. Je roulais et tout me semblait vaste. J'avais l'impression de faire du surplace dans la plaine étale. Je me voyais, point minuscule au milieu de l'étendue calme. Par moments un vol de choucas tournoyait autour d'un arbre. Ou j'apercevais parmi des congères aux trois quarts fondues les points noirs d'étourneaux immobiles, cloués au sol par la pluie et le froid, incapables de se renvoler. Je voyais au loin le point sombre d'une buse engourdie sur une branche nue. Je le devinais plusieurs centaines de mètres à l'avance, je le voyais comme une anomalie dans la pâleur du décor et je pensais : buse. Le point grossissait, les contours de l'oiseau se précisaient. Je ne me trompais jamais. Je passais à la hauteur du gros rapace sans qu'il bouge. Sans qu'il se soucie un instant de savoir si un automobiliste de plus ou de moins le regardait. Seulement soucieux de survivre. D'encaisser ce foutu froid. Tout entier affairé à se ramasser, à faire le dos rond, à retenir le peu de chaleur qui restait dans son corps. À empêcher le froid de le congeler comme tout le reste.

Parfois je traversais un village et les trottoirs détrempés luisaient. J'apercevais l'intérieur éclairé d'un café, la vitrine clignotante d'une boulangerie toujours bardée de décorations de Noël, à la gouttière de laquelle grimpait toujours, un mois après les fêtes, un mannequin rouge et blanc, hotte sur le dos. Un tableau d'affichage numérique m'invitait à un concert de la chorale municipale, à un tournoi de fléchettes, à la présentation du programme de la Semaine du film asiatique prévue au mois d'avril.

Puis c'était de nouveau la plaine, les champs noirs, les congères éparses, les silhouettes déplumées de quelques arbres réduits à leur squelette. Les taillis pareils à des bouquets de hampes échevelées, hirsutes. Le lierre vivace le long des troncs noirs. Les boules de gui prospères aux branches exsangues. La terre partout saturée d'eau. L'herbe saturée d'eau. Le bitume de la route saturé d'eau. Jusqu'à l'air saturé d'eau, infusé lui aussi, pénétré de cette humidité lente, froide, muette, insidieuse. Je roulais des dizaines de kilomètres sans voir une silhouette humaine, sans rencontrer d'autre présence vivante que celle des vaches prostrées, des brebis prostrées, des oiseaux prostrés. La nature entière comme désertée, basculée dans un froid décidément trop insoutenable pour que les humains s'y affairent encore. Tout le monde enfui, couru se claquemurer derrière des murs confortablement chauffés, au coin d'un feu, sous une bonne couette, n'importe où pourvu que ce soit au chaud. Les arbres et les bêtes seuls obligés de rester dehors, seuls obligés de demeurer à la merci de l'espace immense, d'endurer le froid, la pluie, la nuit sans autre compagnie que çà et là de rares bâtisses oubliées elles aussi, vieilles fermes à demi en ruine continuant de se dresser de loin en loin, solitaires, glacées, roidies par le thermomètre descendu trop bas, obligées elles aussi d'attendre, de se laisser travailler en silence par les champignons, les moisissures, le pourrissement inexorable de leurs murs et de leur charpente.

Pauvre fille, je me disais.

Malheureuse qui t'en vas chercher un homme sur les routes comme un grain de sable au milieu du désert.

J'ai pensé que chaque arbre, chaque plante, chaque bête, chaque ferme à demi effondrée, chaque hangar délabré, chaque sillon des champs était dans le même état que moi : réduit à sa structure intime. Ramené à sa vérité. Je me suis sentie avec le paysage une intimité que je n'avais jamais connue.

Je suis arrivée à Zuytpeene. Je suis descendue de voiture au pied de la grande église en briques. J'ai cherché. Sans difficulté je l'ai imaginé là, entrant dans l'église, faisant le tour du cimetière, s'arrêtant probablement devant les mêmes tombes que moi. J'ai pris une photo de l'église. Je suis repartie. J'ai passé la journée à errer au volant. J'ai examiné les noms de patelins du coin, imaginé lesquels avaient bien pu l'attirer. J'ai eu la certitude qu'il était allé à Léchelle. À Ames. À Planques. À Prédefin. À Bailleul-aux-Cornailles. À Denier.

Je les ai faits, tous. Je me suis garée sur des places de villages déserts, je suis sortie de voiture, j'ai crié son prénom sans obtenir d'autre réponse que le rebond de ma voix contre le mur de l'église. J'ai pris des chemins

198

où chaque habitant que je rencontrais me dévisageait à travers le pare-brise.

Pour la deuxième fois la nuit est tombée. Pour la deuxième fois, j'ai dormi dans la voiture. À la sortie d'un village, sur le bord d'un chemin en terre, je me suis garée. J'ai ouvert le duvet que j'avais eu la bonne idée d'emporter. Je me suis glissée tout habillée dedans. Le jour s'est levé. Je me suis remise en route. À Zuydcoote j'ai bu un café, mangé un croissant. Bavardé avec les quelques habitués qui étaient là. Je leur ai demandé s'ils avaient vu traîner un inconnu avec un sac à dos. Un type bizarre qui allait d'un village à l'autre en stop, s'arrêtait boire un café ou un verre, en avait peut-être bu ici même, à ce comptoir. Ils m'ont répondu avec un fort accent. M'ont demandé si je perdais souvent mon mari comme ça. Dans un coin du bar on pouvait regarder BFM, réentendre des extraits du dernier discours du président. Les types me lançaient un regard de temps en temps, se remettaient à écouter le président en l'insultant à demi.

Je suis remontée en voiture, j'ai roulé jusqu'au premier Formule 1. J'ai pris une bonne douche. Je suis restée à l'hôtel tout l'après-midi. Et encore toute la soirée. J'ai regardé la télé. Écouté à travers les fines cloisons la vie des chambres voisines, presque toutes occupées par des représentants de commerce, des routiers, des travailleurs de PME. Vers 22 heures je suis sortie manger un morceau. J'ai marché quelques centaines de mètres dans la zone d'activités où je m'étais arrêtée. J'ai repéré un routier encore ouvert, nappes à carreaux en papier et portions doubles, bar clignotant d'ampoules colorées. J'ai failli entrer là, m'avaler un confit de canard universel, un steak frites, une andouillette moutarde, une gratinée. Puis presque en face j'ai vu un kebab. J'ai choisi le kebab. En rentrant me coucher j'ai vu apparaître au bout de la rue les préfabriqués minables du Formule 1, l'enseigne rouge et jaune faite pour capter les voitures un kilomètre à la ronde. J'ai reconnu, au premier étage, donnant sur le parking, la minuscule fenêtre de ma chambre. J'ai regardé les remorques des camions garés en rangs serrés, les locaux de bureaux bas de gamme alentour, les rues vides, les réverbères absurdement puissants.

J'ai pensé : qu'est-ce que je fous là.

Je me suis dit que j'étais folle. J'ai eu envie de rire.

Je suis cette femme-là, j'ai pensé.

Je suis cette folle qui, abandonnée par son homme, erre depuis trois jours sur les routes les plus paumées du Nord pour lui remettre la main dessus.

29

Et puis je l'ai retrouvé. Le quatrième jour je l'ai retrouvé.

Marie est venue se rasseoir à la table, comme si l'approche du cœur de la tourmente requérait qu'elle ramasse ses forces, revienne dans le carré, se cramponne. Sa voix était calme, distante. Elle ne me regardait pas, ne me touchait pas. C'était comme si la nuit passée ensemble n'avait pas eu lieu. Comme si le souvenir de nos deux corps mêlés s'était effacé de ses pensées, relégué à un rang d'importance si mineure qu'il n'existait plus. Il était encore à 200 mètres quand je l'ai vu. C'est lui, j'ai pensé. Nom de dieu c'est lui. J'ai reconnu son manteau bleu. Son sac à dos. Son bonnet. Ses épaules imperceptiblement voûtées. J'ai failli crier. Il s'était mis à hauteur d'un feu, à la sortie de Dunkerque, sur une quatre-voies. Bien visible des voitures qui arrivaient, mais atrocement difficile à cueillir. J'étais sur la file de gauche, il m'a fallu ralentir en catastrophe, revenir sur la file de droite, m'arrêter à côté de lui alors que le feu était vert. Il ne m'a reconnue qu'au dernier moment, alors que je freinais déjà.

Tu aurais vu sa tête, a dit Marie en riant. Son ahurissement. La voiture derrière moi klaxonnait avec rage. Il est monté sans traîner, a vite refermé la portière, j'ai redémarré avant que le feu repasse au rouge. Nous nous sommes retrouvés tous les deux, à quelques centimètres l'un de l'autre. Je ne sais pas si tu as lu la nouvelle de Kundera où deux amoureux jouent au jeu de l'autostop, m'a demandé Marie en me regardant tout d'un coup.

J'ai fait signe que non.

C'est l'histoire d'un couple en vacances. Elle est toute jeune, il est plus âgé de quelques années, a sur elle un léger ascendant au début, un peu plus d'expérience en amour, pas grand-chose. Elle est un peu prude parfois, s'en veut, voudrait être plus à l'aise, plus libre. À un moment ils s'arrêtent pour faire le plein et elle a besoin d'aller dans les bois, il se moque un peu d'elle car elle n'ose jamais dire le mot pisser. Quand elle ressort le garçon roule jusqu'à sa hauteur et lui dit cette phrase qui lance le jeu : Où allez-vous, mademoiselle ? Elle répond du même ton, en le vouvoyant. Et puis comme elle est montée il continue : J'ai de la chance aujourd'hui. Depuis cinq ans que je roule, je n'ai jamais pris à mon bord une autostoppeuse aussi jolie. La fille sourit. Et à la grande surprise du garçon elle entre immédiatement dans le jeu, lui répond du même ton détaché : Vous avez l'air de bien savoir mentir aux femmes. Il est estomaqué, en remet une couche, mais elle ne se démonte pas et va même plus loin que lui, ne s'effraie pas lorsqu'il menace effrontément de la suivre jusque là où elle va : Je me demande bien ce que vous feriez de moi. Il est piqué, jaloux de la découvrir si experte en flirt. À partir de ce moment c'est comme si chacun se dédoublait. Le garçon regarde la fille flirter avec l'inconnu qu'il fait mine d'être. La fille le regarde draguer éhontément la jeune inconnue qu'il vient de prendre à bord. Ils sont tous les deux à la fois jaloux et formidablement excités de se tromper l'un l'autre en pleine lumière, pour ainsi dire sous les yeux l'un de l'autre. Peu à peu la tension monte, ils se punissent en poussant le jeu toujours plus loin. À la fin la fille essaie de faire marche arrière mais le garçon ne veut plus, ils montent dans une chambre d'hôtel et il la traite comme une prostituée, ils couchent ensemble et lui est plein de haine, tous les deux sont dans un état dont ils ne se savaient pas capables, à leur plaisir se mêle une fureur qui le décuple. La fille pleure, elle est effrayée d'éprouver plus de plaisir qu'elle n'en a jamais eu, là-dessus la nouvelle est assez macho, on pourrait en discuter, en tout cas à la fin ils sont là tous les deux dans le lit l'un près de l'autre et ont toutes les peines du monde à reprendre leurs rôles, elle est en larmes et lui se sent loin, il la déteste irréversiblement à présent, c'est comme s'ils étaient passés de l'autre côté, avaient cassé quelque chose d'irréparable.

Marie s'est interrompue. Je suis resté à la regarder en attendant la suite. Je me suis levé, j'ai marché jusqu'au robinet pour nous servir des verres d'eau.

Vous avez fait l'amour comme jamais, c'est ça que tu vas me raconter.

Elle a fait un effort pour sourire.

Non. Je te raconte Kundera parce que j'y ai pensé à l'instant où il est monté. Parce qu'avant même de le retrouver j'avais ce jeu en tête, je n'arrêtais pas de me dire : si je le retrouve je lui fais le coup de l'autostop. Je reste d'un calme imperturbable et je le prends au jeu de l'autostop – avec un avantage qui ne pourra pas manquer d'être décisif, me disais-je, c'est que moi j'ai lu Kundera et lui non. Avantage qui en réalité n'en est pas un, me dis-je maintenant. Car sans doute il verrouille d'avance le jeu. L'empêche. Le rend d'emblée impossible, ou en modifie considérablement la donne. Peut-on vraiment jouer à un jeu dont on connaît d'avance le dénouement. Tout le plaisir ne s'en trouve-t-il pas faussé.

Marie m'a regardé, elle a eu l'air de repenser à ma phrase, d'en rire avec tristesse.

On n'a pas fait l'amour comme on ne l'avait jamais fait, non. On n'a même pas joué au jeu de l'autostop. Il s'est assis et j'ai tout de suite compris que si les amoureux de la nouvelle de Kundera jouaient à l'autostop, si l'idée de ce jeu pouvait leur venir, c'était précisément parce qu'ils s'ennuyaient. Parce que rien ne les bousculait. Parce qu'ils étaient prêts à tout pour secouer le fardeau de la routine. Lorsque je l'ai vu au contraire j'ai senti mon sang battre. Tout d'un coup j'ai eu honte. J'ai failli crier de joie et en même temps je me suis dit : il va me trouver folle. Ou plus exactement : il va savoir que je le suis. Car cela m'a sauté aux yeux à ce moment : je suis folle, j'ai pensé. Il faut que je le sois un peu pour faire tout ça, c'est une évidence. J'ai regardé l'auto-stoppeur ouvrir la portière d'un geste sûr, poser son sac à ses pieds, s'asseoir près de moi. Et en une fraction de seconde toutes les phrases que j'avais soigneusement préparées se sont effacées de mon esprit. Toutes m'ont instantanément paru ineptes, absolument hors de propos. J'ai été sciée. Sciée de l'avoir retrouvé. Sciée d'être à côté de lui, là, sur cette petite route du Nord, à 1 200 kilomètres de chez nous. Il y a eu un long silence. Ça va, j'ai demandé. Il a hoché la tête pour dire oui. J'ai constaté que je n'avais qu'une question en tête à cet instant : est-ce qu'il me trouve belle, est-ce qu'il se dit que je suis la femme de sa vie. J'ai pensé au col roulé que j'avais mis ce matin-là en quittant le Formule 1. Un col roulé sombre qu'il n'aimait pas. Est-ce qu'après trois jours sur les routes je ressemble encore à une femme qui a la moindre chance de le séduire. Voilà ce que j'ai pensé.

Marie s'est redressée, a regardé le verre d'eau dans sa main avant de continuer, promené pensivement ses doigts le long du rebord.

Tu m'as trouvé, il a dit. Il n'y avait ni joie particulière ni reproche dans sa voix. Plutôt une sorte d'incrédulité. Tu m'as trouvé je n'en reviens pas. De la chance, j'ai dit. Quelle chance, il a répondu. Qui pourrait penser une seule seconde que c'est simplement de la chance. Il y a soixante-dix millions d'habitants un million de kilomètres de routes dans ce pays des dizaines de milliers de kilomètres de nationales et de départementales rien que dans ce minuscule département du Nord et tu m'as trouvé. Je l'ai senti amoureux. J'ai eu envie qu'il m'embrasse. Il a plongé sa tête un peu hirsute dans mes cheveux. J'ai senti son odeur forte. Sa peau luisante de fatigue. Tu ne t'es pas lavé depuis combien de jours, j'ai demandé. Trois, il a ri. Ce soir ça fera quatre. J'ai passé mes mains dans sa barbe longue d'une bonne semaine. Dans ses cheveux buissonnants. Il a mis sa tête contre mes seins, m'a embrassé le cou, les tempes. Il a mis sa tête contre la mienne, est resté collé à moi, j'ai dû le repousser pour continuer à regarder la route devant moi. J'ai senti que je l'aimais. J'ai eu envie de sa tête chevelue au creux de mon cou, contre ma poitrine. Envie de le sentir peser de tout son poids sur moi. Il a dit je t'aime Marie. Il a posé sa tête sur mes genoux. L'a laissée là, dans mon giron, tout contre mon ventre, sans que je cesse de conduire. J'ai plongé les doigts dans sa tignasse. J'ai fouillé dans la forêt de ses cheveux emmêlés. Pétri la broussaille de son crin. Je l'ai caressé. Caressé comme un grand enfant fou, et tendre, et beau.

Marie s'est tue. Elle a posé son verre. J'ai regardé le bout de ses doigts jouer avec d'infimes miettes de pain éparses sur la table. Appuyer de la pulpe de l'index dessus pour les attraper, les regrouper. Puis de l'ongle du pouce les écraser. Les réduire tranquillement, machinalement à de la chapelure plus fine que du sable.

Dehors l'ombre des feuilles du laurier jouait sur le mur. Un oiseau voletait sur le toit de la cabane à outils. La voix de Marie était calme.

Cela c'était hier, elle a dit. Non : avant-hier. Ensuite il y a eu la nuit. Où on va, j'ai demandé après un moment. Dans le premier hôtel qu'on trouve, il a répondu. Je me fiche de savoir où ce sera. Je veux juste un hôtel. Nous sommes arrivés à Saint-Omer, nous nous sommes garés devant le petit hôtel Les Frangins. Son nom nous a plu. J'ai pensé que la chance était avec nous. Qu'il y a peu de temps encore, nous aurions ri de tout cela, commandé deux bouteilles de bon vin et fait l'amour en trinquant jusqu'au matin.

Les yeux de Marie étaient rouges à présent. Du bout de l'index et du majeur elle dessinait de petits cercles dans la fine poussière dorée, laissant par endroits affleurer le bois de la table, puis le recouvrant, déplaçant chaque fois imperceptiblement le lit de poussière.

Il aurait suffi que je me laisse porter.

Elle tapotait de l'index sur la table, s'arrêtait de temps à autre pour enfoncer le tranchant de l'ongle dans une miette plus dure que les autres.

Il aurait suffi que je ne m'écoute pas. Tout était réparé. Je le sentais amoureux, et bien sûr je l'étais aussi. Que s'est-il passé alors. Quelle voix m'a poussée. D'où est-elle venue, cette certitude tout d'un coup. Nous sommes arrivés à la réception. On va vous prendre une chambre monsieur, je l'ai entendu dire comme si rien n'avait jamais eu lieu, comme si nous n'étions pas passés à deux doigts de nous quitter à tout jamais. Et alors c'est sorti tout seul de ma bouche, avant même que je l'aie pensé : Deux. Il m'a regardée. On va vous prendre deux chambres monsieur, je me suis entendue articuler. Le réceptionniste, un grand type dégingandé ridiculement serré dans un uniforme bordeaux, a baissé la tête, fait mine de pianoter sur son ordinateur, je crois qu'il aurait voulu disparaître sous terre pour mieux se faire oublier. Il y a eu un silence. Une seconde chambre monsieur s'il vous plaît, j'ai répété, et cette fois le type a attrapé une seconde carte, l'a glissée dans un second porte-carte jetable, a griffonné un numéro dessus, me l'a tendue. La 307 pour Monsieur, la 311 pour vous Madame.

Nous avons marché tous les deux jusqu'à l'ascenseur, l'avons appelé en silence. Les portes se sont ouvertes. Pendant dix secondes nous avons été à quelques centimètres l'un de l'autre, emportés ensemble vers le haut. Je me suis demandé si tout allait rebasculer, si l'un de nous allait trouver le moyen de se frayer à nouveau un chemin vers l'autre. Au troisième étage nous avons vu le panneau. 301-310 à gauche. 311-320 à droite. Il m'a serrée contre lui. N'a pas cherché à discuter, pas tenté de me faire changer d'avis. Je l'ai regardé s'en aller de son côté du couloir. J'ai marché jusqu'à ma chambre. Je l'ai ouverte, me suis jetée en pleurant sur le lit.

Qu'aurais-je voulu qu'il dise. Peut-être, s'il avait eu un téléphone, lui aurais-je envoyé un message. Peut-être m'aurait-il appelée, ou aurais-je fini par l'appeler moi, et au téléphone nous aurions senti l'absurdité de tout cela, nous aurions pu faire marche arrière avant qu'il soit trop tard.

Mais il n'a pas de téléphone.

Vers 6 heures du matin j'ai entendu des bruits de pas dans le couloir. J'ai deviné que c'était lui. Je l'ai entendu appeler l'ascenseur. J'ai failli sortir, l'arrêter, le retenir. Je suis restée au fond de mon lit, à guetter chaque bruit. À écouter le jeu de dominos provoqué par ma phrase de la veille – pas même par ma phrase, par ce seul mot – achever de produire sa chaîne de causes et d'effets. Cela sans que j'y puisse plus rien. Comme si une fois enclenché le mécanisme ne pouvait plus interrompre sa course. J'ai entendu l'ascenseur s'arrêter sur le palier, tout près de ma porte. Les pas d'un homme y pénétrer. Le jeu des poulies se remettre en branle. La cabine redescendre vers le bas de l'immeuble.

J'ai mis longtemps à me lever. J'ai pleuré. Telle que tu me vois si je ne pleure plus c'est que je crois bien avoir pleuré tout ce que mon corps contenait d'eau, a souri Marie.

Et puis, j'ai demandé.

Elle a tapé d'un air résolu sur la table, presque fière.

Et puis je suis rentrée. Je suis remontée dans ma petite Clio trois portes et j'ai refait les 1 000 kilomètres en sens inverse, d'une traite.

Elle était calme à présent. Parlait d'une voix apaisée, fluide, comme sortie des rapides et du fracas.

À l'aller l'hiver m'avait paru déprimant. Au retour au contraire je l'ai trouvé beau. Tout était noir. Comme si la terre et les arbres s'étaient un peu plus gorgés d'eau encore, avaient continué de lentement mais inexorablement cheminer vers le pourrissement définitif. Noir des barrières et des poteaux pourris. Noir des troncs et des branches pourries. Noir des rares herbes restantes, de la boue, de la neige fondue. Noir des feuilles mortes et du sol tout entier mis à pourrir. Noir des taillis déplumés, des forêts endormies, des halliers de ronces oubliées. Noir de la nature entière engloutie, noyée, morte, humiliée au sens propre : retournée à l'humus. Cela ne m'a pas attristée, au contraire. Noir du sol avec ce qu'il a de fertile aussi, j'ai pensé. Noir de la terre insatiable mangeuse. Noir de la grande tambouille primitive, du brouet originel. Noir d'où ne pourrait que renaître la vie.

J'ai roulé, roulé. À chaque kilomètre plus sûre de moi. À chaque kilomètre plus sereine.

Et me voici.

30

Il était midi lorsque je suis reparti. Marie m'a raccompagné. En m'éloignant j'ai pensé : je repars de chez elle. En ces termes précis. Comme si la maison n'était plus désormais que la sienne.

Je suis rentré chez moi. J'ai retrouvé mon deux-pièces. Retrouvé le marc de café moisi dans la cafetière abandonnée depuis dix jours. J'ai mis la radio, tenté de faire comme si la vie reprenait lentement son cours. Lancé une machine avec les affaires qui traînaient. Ramassé une tasse abandonnée sur mon bureau. Regardé le café séché au fond. Une auréole noire, brune, craquelée par endroits, plus sombre au fond, où la pellicule plus épaisse ne laissait pas même affleurer la faïence. J'ai essayé d'allumer mon ordinateur, de me mettre au travail. J'ai rouvert mon fichier word, voulu le reprendre à l'endroit où je l'avais laissé. Comme si rien n'avait eu lieu. Comme si la semaine qui venait de s'écouler, la nuit avec Marie, son récit de ce matin, l'évidence de son amour pour l'autostoppeur – comme si tout cela ne concernait de toute façon qu'une région périphérique de moi-même.

Et puis j'ai eu un spasme. Comme si j'étais en train de me faire avaler à moi-même la plus grossière couleuvre jamais passée par aucun œsophage. Comme si mon corps s'insurgeait et criait l'évidence : assez. Assez de ces mensonges.

Je me suis levé, je suis allé me mettre à la fenêtre. J'ai regardé l'immeuble d'en face, sa pierre blonde, la fenêtre ouvrant sur des étagères garnies de livres. Une tête a surgi. La voisine a secoué une nappe au-dessus de la rue, m'a vu, m'a lancé un bonjour joyeux qui m'a forcé à me reprendre d'un coup.

Je pensais que vous étiez parti en vacances. Je ne voyais plus de lumière le soir, j'étais sûre que vous étiez parti.

Je m'occupais de l'enfant d'une amie, j'ai répondu, et j'ai senti le plaisir que j'éprouvais à parler de Marie à une inconnue, à l'appeler mon amie.

Pendant toute une semaine.

Pendant toute une semaine oui.

Eh ben elle a de la chance de vous avoir cette amie.

J'ai haussé les épaules en riant.

Je suis d'accord.

Elle m'a souhaité une bonne journée, a refermé sa fenêtre.

Je suis allé m'affaler sur le lit avec un roman de Cormac McCarthy en pensant à l'adage, *n'ayant jamais eu de chagrin qu'une heure de lecture ne m'ait ôté*. Mais même

McCarthy m'a ennuyé. Même les phrases courtes du *Grand passage*, un de mes livres préférés, se sont mises à me sembler fantastiquement artificielles et laborieuses.

De la branlette, j'ai pensé, comme il m'arrivait souvent de penser de beaucoup de livres qui font du faux style, jamais pourtant de McCarthy. De la putain de branlette insupportable.

J'ai envoyé *Le grand passage* à l'autre bout de la pièce. Il est allé s'écraser dans un coin. Est resté comme un oiseau mort contre l'angle d'un mur, pages ébouriffées, couverture froissée, panse gonflée comme la bouffe d'un soufflet.

J'ai repensé aux mots de la voisine : elle a de la chance de vous avoir votre amie.

J'ai dormi.

Deux jours sont passés. Trois. Le premier jour il a fait gris. Le deuxième il a fait beau, et immobile j'ai regardé la lumière du soleil tourner dans la pièce, en éclairer successivement chacun des murs. Tomber vers 14 heures à l'exact emplacement de mon oreiller. Me réchauffer le visage. Glisser doucement vers le parquet. Puis vers le mur de droite. Puis abandonner la chambre à sa froideur.

J'en ai voulu au soleil d'être si beau : les jours gris au moins on reste chez soi sans honte.

Puis lentement j'ai senti la tristesse refluer. Je ne l'ai pas compris tout de suite. Mais bientôt j'ai réalisé que je n'avais plus le ventre noué. J'ai fait cuire des pâtes. Je les ai dévorées. Sans m'en apercevoir j'ai recommencé à lire McCarthy. J'ai lu d'une traite *L'île*, de Stuparich, un petit livre tout plein de soleil et de Méditerranée, de plongeons dans l'eau du haut de falaises. Un livre où un père va mourir, et avant qu'il soit trop tard père et fils se retrouvent, nagent ensemble, s'éprouvent, se disent sans parler qu'ils s'aiment.

Je n'ai pas cessé de penser à Marie. Au contraire j'ai pensé toujours plus fort à elle. Je m'en suis rendu compte au bout de plusieurs jours : je n'étais plus triste. Si je paressais à présent c'était par délassement. Par goût. Imperceptiblement, à mon insu, je m'étais remis à espérer.

Peu à peu j'ai acquis cette certitude : tout n'était qu'une question de temps. Bientôt ce serait là.

J'ai encore attendu plusieurs jours, comme on réfrène sa joie. Comme on attend d'être sûr de pouvoir la laisser éclater.

Un midi enfin j'ai marché jusque chez elle.

Je l'ai trouvée seule, Agustín à l'école. Elle a ouvert la porte, m'a vu.

C'est toi.

J'ai cherché à lire sur son visage si ce constat était heureux ou malheureux.

Je te dérange, j'ai demandé.

Elle a souri.

Non.

Tu es sûre.

Certaine.

Elle m'a fait entrer.

Si tu veux tout savoir, j'espérais que ce serait toi. Il y a deux jours que j'espère que ce sera toi.

J'ai ri, incrédule.

Eh ben c'est moi, j'ai dit.

Je me suis approché d'elle. J'ai hésité entre sa bouche et sa joue. Finalement je l'ai embrassée juste en dessous du menton. Elle a plié le cou, passé la main dans mes cheveux. Je l'ai embrassée à nouveau, plus longuement cette fois.

On a jusqu'à la sortie de l'école, j'ai demandé.

Jusqu'à la sortie de l'école demain, elle a souri. Ce soir Agustín dort chez un copain.

Je le savais, j'ai dit.

Mon œil.

Je le savais pourquoi tu crois que je viens aujourd'hui.

Elle m'a regardé.

Tu le savais c'est vrai?

Bien sûr que non.

Elle a enlevé son haut d'un coup d'épaule, détaché le bouton de son jean. Les pointes de ses seins sont venues se plaquer contre mon torse. Je l'ai serrée contre moi. Nous nous sommes retrouvés nus tous les deux au milieu du salon. Mieux réveillés que la première fois. Nos mains plus baladeuses, plus filoutes. Nos bouches plus affamées. Pressés tous les deux.

31

J'ai rendu plus souvent visite à Marie et Agustín. J'ai pris l'habitude de dormir chez eux.

Un dimanche Agustín a voulu savoir quand son père reviendrait.

J'ai demandé à Marie si elle voulait que je les laisse. Elle a répondu non. Non c'est bien que tu sois là. Il aime quand tu es là. Bien sûr je lui parlerai seule mais tu n'as pas besoin de t'en aller.

Ils sont restés tous les deux dans le jardin, Agustín frappant dans le ballon pendant que Marie parlait. Frappant toujours plus fort à mesure qu'il comprenait. Posant des questions dont ne me parvenaient que des bribes. Et moi est-ce que j'irai le voir. Et moi j'habiterai où. Puis se murant dans le silence. Ne disant plus rien. Refusant de montrer le moindre signe d'émotion. Se taisant simplement, d'un silence que du salon j'ai épié avec anxiété, tendant l'oreille, guettant le froissement d'habits d'un câlin réclamé en consolation, le déchirement d'un pleur.

Marie demandant tu n'es pas trop triste.

Agustín répondant ben non.

Ben non comme s'il ne voyait pas où était le problème.

C'est pas comme s'il était mort.

Répétant ces mots d'un ton dur.

C'est bon il est pas mort il est juste parti c'est pas très grave.

Continuant une heure encore à taper seul dans le ballon. À envoyer des pointus dans le mur comme s'il voulait en faire s'effondrer toutes les pierres. Marie se remettant à travailler à son ordinateur en continuant de le regarder par la fenêtre.

Il a raison après tout son père est parti qu'y a-t-il de plus à comprendre.

Son père s'en est allé qu'y a-t-il de plus à dire à quoi bon en parler pendant des heures.

Le jardin de nouveau plongé dans le silence. Les plantes affairées à pousser imperceptiblement leurs bourgeons. Le printemps à préparer son retour. La vigne vierge à reverdir sous le soleil du début du mois de mars. L'olivier à renvoyer sa sève jusque dans les moindres terminaisons de ses tiges. De minuscules feuilles vert tendre à surgir à l'extrémité de chaque arbre, chaque arbuste, chaque plante.

Les jours suivants j'ai eu l'impression qu'Agustín marquait une distance. Mettait moins de cœur à nos joutes d'échecs. Réclamait avec moins d'entrain mes histoires le soir. S'arrêtait de jouer dans le jardin pile à l'instant où je le rejoignais.

Un matin il est venu alors que je travaillais dans le bureau de l'autostoppeur. Il m'a tendu un dessin qu'il venait de terminer : une fresque sur laquelle il avait dû passer des heures. Flamboyante de couleurs. Dessinée avec la même minutie obsessionnelle qu'il mettait en tout ce qu'il dessinait, déployée cette fois sur quatre feuilles A4 scotchées ensemble.

Qu'est-ce que c'est, j'ai dit en regardant le dessin comme un trésor.

La guerre.

En haut, l'air libre se réduisait à une fine bande grise. Tout le reste, c'était le sous-sol. Des boyaux s'enfonçaient dans la terre. Trois, quatre, cinq boyaux pareils à des terriers interminables. Certains creusaient leurs galeries à gauche, d'autres à droite, d'autres encore allaient se faufiler très loin jusque sous les tunnels ennemis. Dans ces boyaux des centaines de petites silhouettes s'affairaient, charriaient des fusils, des trésors, des bidons d'eau et de vin, conduisaient même des vaches et des chèvres.

Des vaches dans les tunnels, j'ai dit d'un air étonné.

Pour les manger, a dit Agustín. Il faut bien qu'ils mangent.

Il y avait de vastes pièces où des hommes étaient attablés. D'autres où les hommes préparaient les explosifs. Tout un monde invisible vu en coupe. Fourmilière effrayante, grouillante d'appétits, de volontés appliquées à détruire, d'explosions à venir.

Je venais de lire l'histoire des Éparges. Je la lui ai racontée. Les Alliés face aux Allemands pendant trois ans, sur la même butte, de 1915 à 1918. Les morts de chaque côté par dizaines de milliers sans que jamais la ligne de front se déplace de plus de quelques mètres. Les tirs de mine préparés pendant des mois. La colline creusée de toutes parts comme un morceau de gruyère. Dynamitée par pans entiers. Trouée encore aujourd'hui de cratères vastes comme des mers lunaires.

Tu as dessiné Les Éparges Agustín, je lui ai dit d'un ton fier. Tu as fait le plus beau et le plus terrible dessin qu'on ait jamais fait des Éparges.

Il a ri.

32

Nous nous sommes habitués à notre nouvelle vie. Avons appris à regarder les cartes qui continuaient de nous arriver pour ce qu'elles étaient : des pensées. Des signes. Une façon de maintenir le lien. Vues de Pauvres, de Suzanne, d'Élan, de Velu, de Léchelle. Cartes postales de Mon-Idée, de Pure, de Fossé, de Marre, de Mouron, de Saint-Martin-l'Heureux. Souvent l'église et la place du village, comme l'échantillon le plus représentatif, la cellule de base à partir de laquelle on pouvait à peu près se faire une idée des rues alentour, comparer les villages entre eux, estimer leur degré de vitalité, leur richesse, leur désertification plus ou moins avancée. Parfois aussi un détail. Façade d'un vieux bar. Photo d'un plat local, d'un panier de charcuterie, d'un fromage emblématique. Vue d'un marché, d'un étal de brocanteur. D'un vestige antique qui faisait la fierté de l'endroit. Mais le plus souvent tout de même : photo de l'église. Vue de la cathédrale. Détail de l'abbaye.

Nous avons entamé sans le vouloir une collection

d'édifices religieux. Église du Mort-Homme. Église de Donnement. Église de Saint-Benin. Église de Villeneuve-la-Lionne. Église de Vaudeville. Église de Hures-la-Parade. Toutes ces églises bâties dans tous ces villages, je me disais chaque fois. Toutes ces églises bâties par tous ces hommes pendant tous ces siècles. À présent m'étonnait ce qui m'avait toujours paru aller de soi : que même sur la place des villages les plus perdus, même au fin fond des plus dérisoires patelins, se soient trouvés des hommes pour bâtir une maison de Dieu. Non seulement la bâtir mais la vouloir plus belle qu'aucune autre. Plus haute qu'aucun château, qu'aucun hôtel de duc ou de prince. Églises de L'Union, du Passage, de Saint-Rome-de-Tarn, de Loubaresse. Églises de Flavigny, de Neuves-Maisons, d'Étain, de Dormans, de Sommesous, de Vaucouleurs, de Cheval-Blanc, de Baccarat, d'Anglure, d'Odile, de Dieuze, de Rupt. Je finissais par en être ému – moi qui n'avais jamais cru. Moi qui savais l'autostoppeur aussi incurablement athée que moi.

Marie n'avait plus de colère à présent. De la tristesse, sans doute, chaque fois qu'arrivait une nouvelle carte, et avec ce rectangle cartonné un peu de l'homme qu'elle avait aimé. Mais une tristesse qu'elle faisait tout pour tuer en elle. Ne voulant plus donner prise à l'autostoppeur. Refusant qu'il continue de peser sur son humeur. Prenant soin de me montrer qu'elle était là désormais. Avec nous. Avec moi.

Ce week-end s'il fait beau j'ai pensé qu'on pourrait aller randonner dans les Alpilles. J'ai repéré un gîte où dormir, on aura un peu froid mais avec de bons duvets ce sera drôle vous ne croyez pas. Et en cette saison on ne sera pas embêtés par le monde. Agustín la regardait étonné, disait oui. Ce week-end randonnée oui.

Au dos des cartes les mots nous étaient adressés à tous les trois, comme s'il allait de soi désormais que nous habitions ensemble.

Embrasse Marie et Sacha, écrivait l'autostoppeur à Agustín.

Cela sans qu'on y lise la moindre hostilité, la moindre amertume.

D'autres fois il s'adressait à Marie et moi. Les amis, commençaient ses cartes. Et c'était sincère : il nous écrivait comme à ses amis les plus chers. S'adressait à nous d'une voix confiante, certain de notre affection, ne doutant pas un instant que nous lui conservions la nôtre.

Un jour qu'il appelait, Marie lui a parlé du dessin d'Agustín.

Va aux Éparges si tu peux, ça lui fera plaisir.

Quelques jours plus tard Agustín a reçu une enveloppe avec des polaroids pris de nuit. Il y en avait cinq ou six, tous également blafards, effrayants, l'obscurité si épaisse que le flash ne parvenait à éclairer que le tout premier plan. Champ de croix blanches surgies dans la lueur des phares. Trous gigantesques bordés de sapins et de rochers. Évasements monstrueux, pleins de ténèbres.

Nous l'avons eu au téléphone le surlendemain. Agustín a demandé s'il avait eu peur. L'autostoppeur a dit oui.

Je ne sais pas si c'était exactement de la peur, en tout cas je ne me sentais pas bien. Et le conducteur qui était avec moi non plus. Il était boulanger, rentrait chez lui. J'ai parlé de ton dessin, il a bien voulu faire un détour. Il m'a dit pour votre fils je peux bien faire ça. Nous avons mis le téléphone de Marie sur haut-parleur, écouté l'autostoppeur raconter la découverte du site. La lecture au bas de la butte du panneau narrant la blessure de Genevoix, celle de Jünger, la mort de Louis Pergaud, l'auteur de *La guerre des boutons* que tu aimes tant Agustín. Puis l'avancée dans l'obscurité, la nature entière alentour plongée dans le noir, le monde réduit dans la lumière des phares à un mince ourlet d'herbe vert chlorophylle de chaque côté du bitume, aux silhouettes spectrales d'une ou deux vaches dérangées dans leur sommeil, tête relevée d'un air étonné, yeux vitreux. Puis soudain la foule de tombes surgies des ténèbres, milliers de croix blanches toutes pareilles les unes aux autres, innombrables, couvrant toute l'étendue du coteau, ne laissant pas un mètre carré d'herbe à nu. Les phares glissant le long du coteau. Et toujours de nouvelles croix jaillissant du noir, formidablement blanches sur le fond vert cru de l'herbe, arrachées pour quelques secondes au néant, formidablement lugubres, désolées, abandonnées.

La voix de l'autostoppeur était calme, prenait son temps.

À présent ni le boulanger ni moi ne disions plus rien, il a poursuivi, tous les deux nous nous taisions, et la voiture enchaînait sans un bruit les virages en épingle, grimpant vers le sommet de la butte envahie de végétation, comme si personne depuis la fin de la guerre n'avait plus osé couper là une branche, comme si arracher un brin d'herbe une feuille d'arbre de cette butte c'était assassiner une seconde fois la foule de malheureux tués là. Mais le plus fou c'est ce que nous avons trouvé en haut. Une camionnette habitée, dans laquelle dormait un couple, peut-être une famille au complet. Une camionnette de touristes qui s'étaient dit on va faire ça : aller passer la nuit aux Éparges.

Peut-être qu'ils ne savaient pas, a dit Agustín.

C'est impossible. Je te jure quand tu es là-haut c'est impossible de ne pas sentir que trente mille hommes y sont morts.

Agustín a encore posé quelques questions, demandé à l'autostoppeur s'il savait combien de centaines de vaches avaient été mangées aux Éparges pendant la guerre. S'il pensait que beaucoup de vaches habitaient avec les soldats dans les galeries sous la butte. Nous avons ri. Puis Agustín et l'autostoppeur ont raccroché. Sans qu'Agustín ait seulement eu l'idée de demander à son père quand il rentrerait. Sans que l'ait traversé la pensée qu'il pouvait rentrer. Que ça ne tenait qu'à lui.

Un long silence a plané dans la pièce. Comme si un peu de la nuit des Éparges était venue s'immiscer jusque chez nous. Comme si quelques-uns des fantômes ensevelis là-bas avaient trouvé le moyen de se faufiler par le haut-parleur laissé trop longtemps ouvert et continuaient de flotter là, parmi nous, dans le salon.

33

Nous avons pris l'habitude de lui confier des missions. De lui dire au téléphone des noms de villes et de villages qui nous attiraient. Agustín a réclamé Aast, le tout premier village de l'alphabet. Marie a demandé Villers-sur-Port, le village de ses grands-parents, où elle n'était pas retournée depuis trente ans peut-être. Au bout d'une semaine elle a reçu une enveloppe. Photos de vaches dans un pré surplombant un village. D'un hangar à moissonneuses flambant neuf. De fondeurs de bronze en pleine coulée du métal en fusion. D'un cimetière à peine plus grand qu'un jardin de curé. De la pierre tombale mangée de mousse et de plantes grasses de ses grands-parents : Reuchet Aimée. Reuchet Jean. Vue enfin d'une longue ferme aux murs presque aveugles où trônait une plaque qui disait : Dans cette maison ont vécu Jacques Reuchet et son père Jean Reuchet, combattants FTP-FTI, morts pour la France le 13 août 1943.

D'Aast l'autostoppeur a envoyé des photos de champs de maïs. Du maïs à perte de vue. Des maisons surnageant çà et là des champs. Un clocher s'élevant au-dessus du mur de tiges vertes. Mais toujours, partout, occupant les deux tiers du cadre : du maïs.

Un autre jour c'est moi qui lui ai passé commande. Et Calais, je lui ai dit. Pourquoi tu n'irais pas jeter un œil à Calais.

Dix jours plus tard est arrivé plus qu'un paquet : un volumineux carton dans lequel j'ai trouvé toutes sortes d'objets envoyés sans explication. Fourchettes et couteaux mêlés de sable. Stylos bille blanchis de rayures. Bouts de miroirs. Vieille basket esseulée. Vieille brosse à dents. Vieux tubes de shampoing et de dentifrice. Préservatif décoloré par le soleil mais toujours utilisable, date de péremption encore éloignée. Vieux bonnet que j'ai eu beau secouer et secouer, toujours en tombaient des grains de sable qui se prenaient dans mes cheveux sitôt que je l'enfilais.

C'est en voyant les photos glissées au fond du carton que j'ai compris. Images de dunes fatiguées, grêlées de restes, nivelées par endroits à renfort d'engins dont s'apercevaient les traces de chenille énormes. Gros plans d'un sol sablonneux et de ce que l'autostoppeur y avait rencontré de vestiges, piquets de tentes, lambeaux d'habits et de couvertures, emballages alimentaires déchirés. Il était allé à l'emplacement du camp des Landes, la fameuse «jungle» rasée depuis plus d'un an déjà, ses milliers d'habitants dispersés. Il avait traîné tout un après-midi à l'emplacement de l'ancien bidonville, scrutant le sol à la façon d'un archéologue, ramassant tout ce qu'il y trouvait, l'emballant pour me l'envoyer.

J'aime surtout la louche, disait l'autostoppeur au dos d'une photo. Elle est pour toi, prends-la.

La louche était là. Une louche en mauvais fer-blanc, cabossée, à peine lourde comme une cuillère. Mais qui avait dû servir pendant des mois dans l'une ou l'autre des gargotes du bidonville. Plonger dans mille soupes afghanes ou érythréennes. Remplir comme peu de consœurs son office de louche.

Quant à Agustín l'autostoppeur lui avait réservé le plus beau : un ballon en cuir jaune et vert ramassé parmi les dunes, qui emplissait à lui seul les deux tiers du carton. Un ballon qui avait dû être frappé par des centaines de pieds de tous pays, franchir des milliers de fois la ligne de but tracée entre deux pierres ou deux bâtons plantés à la va-vite, déclencher combien de hourras, de jurons, de hurlements de protestation et de triomphe.

Mais tu es sûr qu'il ne servait plus, lui a demandé quelques jours plus tard Agustín au téléphone.

Il y en avait plusieurs dans les dunes, a dit l'autostoppeur. Peut-être cinq ou six ballons abandonnés là, à quelques centaines de mètres des restes du camp. Sans doute par des gens qui étaient partis sans pouvoir les emporter.

Mais tu es sûr qu'ils n'étaient plus à personne.

J'ai hésité, a dit l'autostoppeur. Et puis je me suis dit que si leurs propriétaires les avaient laissés là, c'était pour qu'ils servent. À n'importe qui. Et pourquoi pas à toi. Pourquoi ceux qui n'ont plus de maison n'auraient pas le droit de faire comme les autres des cadeaux.

Il y a eu un silence. Agustín n'avait pas l'air convaincu.

Maintenant il faut jouer avec. C'est la seule chose qui compte puisque je l'ai emporté : il faut qu'il serve. Qu'il continue de faire son boulot de ballon. Peu importe où. Peu importe tapé par quels pieds. Qu'il reste ce qu'il est depuis toujours : un ballon fait pour qu'on tape dedans. Pour que des enfants s'amusent avec.

J'ai suivi Agustín dans le jardin. Nous avons essayé le ballon dans l'herbe. Timidement d'abord. Comme si chaque coup de pied dans ce cuir-là était sacrilège. J'ai failli engueuler Agustín lorsqu'il a mis un pointu contre le mur, envoyant la sphère racler contre les pierres.

Puis lentement nous nous sommes pris au jeu. Nous avons abandonné toute retenue. Le ballon est redevenu un ballon comme tous les ballons.

Maintenant c'est Agustín qui me gronde, lorsque je l'oublie dehors.

Sacha tu as laissé le ballon sous la pluie.

Et il se dépêche de sortir le mettre à l'abri. Mais pas comme un ballon rapporté du camp des Landes. Comme n'importe quel ballon en cuir.

34

Les jours rallongeaient à nouveau. Il faisait bon. Marie et moi marchions longtemps le samedi matin avec Agustín, filant jusqu'à épuisement à travers les collines, en ligne droite, et tant pis s'il fallait descendre dans des combes ou couper à travers un bout de forêt. Agustín courait joyeux comme un lièvre les premières heures, puis fatiguait. À la fin nous devions redoubler d'encouragements pour qu'il refasse en sens inverse les kilomètres cavalés à l'aller parmi les pierres et les oliviers.

Rentrés à la maison il s'affalait dans le canapé avec un livre, s'endormait dans les cinq minutes. Nous buvions un thé pour nous réchauffer, montions à l'étage nous allonger. Je prenais une douche brûlante, me glissais nu dans le lit. J'attendais que Marie se douche à son tour. Je savourais l'attente du moment où elle ressortait de la salle de bains, roulée dans une serviette qu'elle laissait tomber pour me rejoindre, tout son corps encore chaud.

L'autostoppeur était parti, et pourtant il était là. Nous pensions à lui. Ses envois nous disaient qu'il pensait à nous. Nous savions à peu près où il était. Il nous surprenait parfois, réapparaissant à plusieurs centaines de kilomètres de là où nous l'avions cru, comme une baleine qui a plongé et refait surface plus loin qu'on ne l'imaginait.

Au téléphone sa voix était enjouée, heureuse. Comme si son nouveau rôle d'envoyé spécial lui faisait du bien. L'aidait à trouver sa place dans l'équilibre tant bien que mal établi entre nous quatre. Un équilibre précaire, peu courant. Mais qui tenait. Qui nous rendait heureux tous les quatre. Fréquemment traversés de cette pensée qui nous laissait, Marie et moi, presque émerveillés : ça tient. Si incroyable que cela puisse paraître, ça tient.

Il était comme une terminaison de nous-mêmes envoyée à l'aventure, une sonde par laquelle des bouts du monde nous étaient rapportés. Il était notre explorateur. Un compagnon aux fantaisies duquel nous assistions avec tendresse, amusement. Un double fantasque, présence amie que nous savions à la fois lointaine et proche, trop distante pour que nous nous reposions sur lui, suffisamment proche malgré tout pour nous accompagner. Il voyageait pour nous, découvrait pour nous, rencontrait pour nous. Partout où il allait, il glanait. Il était comme un tisserin qui fait son nid de ce qu'il rencontre, mêle feuilles et branches et brindilles et bouts d'étoffe à son ouvrage. Infatigablement, il amassait.

L'étonnant, c'était qu'à travers lui des liens se nouaient, des vies se trouvaient rapprochées. Agustín et ses copains, à V., tapaient dans le même ballon qu'un mois plus tôt des réfugiés venus des quatre coins du monde. La louche qui avait servi des milliers de repas à Calais remplissait à présent nos assiettes.

Il lui arrivait d'en formuler explicitement le vœu : aller plus loin que le moment partagé en voiture. Faire en sorte que le lien perdure. Qu'un fil demeure. À présent il ne notait plus seulement l'adresse des automobilistes qui le prenaient. Il leur donnait la sienne – la nôtre. Il insistait pour que les gens écrivent, passent, s'arrêtent quelques jours si le cœur leur en disait. Des lettres arrivaient parfois, de Bretagne, d'Alsace, de Bourgogne, des Pyrénées. Nous les déposions avec les photos dans le grand carton à trésors, cela jusqu'à nouvel ordre, jusqu'au jour où l'autostoppeur repasserait, car nous ne doutions pas qu'il repasserait tôt ou tard.

Un après-midi de mars un van bleu ciel est venu se garer devant chez nous : celui de Josiane et Robert, la soixantaine, rencontrés deux mois plus tôt par l'auto-stoppeur entre Lorient et Nantes. Un van rempli d'affaires de camping, fermement décidé à faire quelques jours étape chez nous.

Bonjour vous êtes Marie et Sacha n'est-ce pas, a dit Josiane en nous voyant. Et elle est sortie du van nous embrasser comme si elle nous connaissait depuis long-temps.

Robert et Josiane avaient le franc-parler joyeux des voyageurs habitués à l'entraide, des vélos accrochés sur le toit du van, une couchette double bricolée par Robert

qui a immédiatement fait office de cabane pour Agustín.
Ils sont repartis au bout de cinq jours. Laissant derrière
eux le même vide que des amis.

35

Avec le temps l'autostoppeur s'est pris à regretter que les trajets se terminent. Que sa route doive toujours à la fin, inéluctablement, se séparer de celle des gens rencontrés. Il s'est mis à leur demander s'ils se rendaient compte. S'ils mesuraient quel extraordinaire concours de circonstances avait permis que leurs routes se croisent.

D'habitude les inconnus qu'on rencontre se rattachent plus ou moins à la vie qu'on mène. Au travail qu'on fait. À l'école où vont nos enfants. Aux bars et aux lieux de sortie qu'on fréquente. Tôt ou tard on les recroisera, on leur reparlera. Tandis que vous et moi : combien de chances avions-nous de nous rencontrer. Et maintenant nous allons détruire tout cela ?

C'est vrai de beaucoup de gens qu'on croise, disait le conducteur pour se rassurer. C'est vrai de chaque rencontre qu'on fait ou presque. Regardez sur internet. Toutes ces personnes qu'on peut connaître.

Mais l'autostoppeur disait non. Non sur internet c'est tout sauf le hasard. Sur internet on se connecte à un site précis. On consulte un profil. On examine des photos. On choisit.

Il arrivait que l'automobiliste sourie des grandes phrases de l'autostoppeur, se moque un peu de lui. Mais alors au moment de se quitter il y avait dans leurs voix à tous les deux une gravité inhabituelle. C'était comme si l'automobiliste faisait le choix de chasser l'autostoppeur de sa vie. Comme s'il se résignait à ne plus jamais le revoir – ce que nous faisons en réalité chaque fois que nous prenons congé d'une personne rencontrée dans un train, un métro, un bus. À ceci près que le renoncement se faisait cette fois *en conscience*. L'automobiliste rompant délibérément le fil ténu qui l'avait relié à l'autostoppeur. Le rompant en le regardant dans les yeux, sans honte. Avec une parfaite lucidité quant à l'instant où la cassure avait lieu : ce moment où leurs mains, après s'être une dernière fois serrées, se disjoignaient irréversiblement.

On va quand même pas charrier, disait le type, je viens de vous dépanner et j'ai l'impression d'être un salaud.

D'autres fois au contraire il comprenait, partageait l'émerveillement de l'autostoppeur, était pris soudain du même vertige que lui à l'idée de rompre ce que le hasard avait noué. Ensemble ils projetaient des retrouvailles. La prochaine vous nous imaginez en train de faire quoi, demandait l'autostoppeur. Je vous vois bien m'aider pour mon jardin, disait le type. Je nous vois bien tous les deux en train de bricoler un dimanche dans mon grenier. En train de refaire l'isolation de ma cave.

Je nous imagine tous les deux à la pêche sur le bord du canal du Nivernais, bien confortablement calés devant nos cannes. Je me vois bien quelques jours avec vous sur les routes, à faire la Normandie en stop. En train de vous rendre visite dans le Sud.

Certains répondaient du tac au tac, comme on lance une boutade. D'autres restaient de longues minutes d'abord à réfléchir. Regardaient l'autostoppeur assis à côté d'eux d'un air de sincèrement se demander que faire de lui. L'inquiétude changeait de camp. L'autostoppeur attendait le verdict avec un rien d'anxiété.

Puisque vous me posez la question je vais vous répondre, finissait par lâcher une conductrice un peu chic qui avait l'âge d'être sa mère. Je vais vous dire la première idée qui me vient, la première de très loin. Pardon mais je me vois passer du bon temps sur une plage naturiste avec vous. Beaucoup de très bon temps sur une plage très chaude, très déserte, sans que mon mari en sache rien, et ça me fait sourire. Je nous imagine devenir copains de stade, disait un supporter du RC Lens abonné depuis vingt ans à Bollaert. Ensemble dans le virage à tous les matches. Je nous vois jouer tous les deux au tennis, avouait une jeune femme, mère d'un garçon du même âge qu'Agustín.

Au tennis, répétait l'autostoppeur.

Au tennis oui pourquoi pas vous n'aimez pas ça le tennis.

L'autostoppeur demandait si c'était en double mixte que la fille les imaginait jouer. Si dans le film qu'elle se faisait ils étaient du même côté du filet ou l'un en face de l'autre.

L'un en face de l'autre, répondait sans hésiter la fille. Je m'imagine en train de vous défier au tennis. De jouer un match acharné contre vous et de vous battre à la fin, et l'autostoppeur ne pouvait s'empêcher de la regarder avec des yeux suprêmement intrigués.

Deux ou trois fois il l'avait fait. Il avait proposé à l'automobiliste nivernais de l'accompagner pour de bon à la pêche. À la jeune femme d'aller vraiment frapper quelques balles de tennis avec elle. Il s'était photographié assis côte à côte avec le pêcheur sur un pliant de camping. De part et d'autre du filet avec la tenniswoman, lui donnant la poignée de main d'avant-match. En tenue de sport l'un et l'autre. Lui serré dans un short trop court, emprunté au Tennis Club de Châteauroux, où la fille avait ses habitudes.

Cela donnait des images empreintes d'une douce mélancolie : autant de vies potentielles qui n'existeraient que le temps d'un après-midi. Autant de débuts d'amitiés dont la mise en scène disait paradoxalement qu'elles resteraient simulées, ne seraient jamais vécues.

Parfois certains mettaient l'autostoppeur au défi d'une vraie relation. Un représentant de prêt-à-porter l'invitait chez lui dans l'Allier, pour un week-end au vert. Une famille insistait pour le garder à dormir après une soirée au bowling. Une fille lui reprochait de se résigner d'avance, de n'avoir pas vraiment envie de les vivre, ces autres existences dont il parlait. De déplorer leur impossibilité avant même de les avoir essayées. Elle l'attaquait bille en tête. Et pourquoi ce conditionnel passé toujours. Pourquoi cet éternel *j'aurais pu, nous aurions pu.*

Tu peux, disait la fille. Tu peux là maintenant, tout de suite. C'est là, regarde. Ça te tend les bras. Elle le ramenait chez elle, lui faisait longuement l'amour pour lui faire passer le goût de cette fichue mélancolie. Elle le chevauchait pour le réveiller, le rappeler au présent. Y mettait toute son application, toute sa détermination d'ennemie du vague à l'âme.

Et mon cul c'est de l'irréel passé mon cul.

Il repartait groggy, plus mélancolique que jamais. Car la fille avait tort, se disait-il. Ils avaient passé la nuit à faire l'amour, à délicieusement se frotter l'un contre l'autre. Mais cela aussi avait une fin. Qu'ils aient baisé toute la nuit n'enlevait rien au déchirement de se quitter. Pendant deux ou trois jours ensuite il continuait de sentir ses cheveux dans son visage. La caresse de ses seins contre ses joues. Il la revoyait allongée nue sur le ventre en train de rire et de lui dire viens.

Peu à peu il s'est mis à rêver d'une fête. Une grande fête qui réunirait tous les conducteurs rencontrés au cours de son voyage. Ma deuxième famille, disait-il au téléphone. La famille des gens m'ayant un jour pris à leur bord. M'ayant fait don de leur hospitalité. Souvent je me dis que c'est avec eux qu'il faudrait tout recommencer. Souvent j'y songe, je me dis que si on devait refaire le monde, partir sur un autre continent ou une autre planète réinventer la société avec un échantillon d'humanité pris au hasard, représentatif malgré tout de la variété des hommes et des femmes d'aujourd'hui, ce serait un bon critère. Des gens pas froussards. Solides. Pas d'accord entre eux pour tout sans doute. Susceptibles de se foutre sur la gueule à propos de nombreux sujets. Mais tous capables d'ouvrir leur porte. Il imaginait un week-end à la plage. Un rassemblement quelque part en forêt. Dans quelques mois ce sera l'été, il disait, et il rêvait d'une randonnée de deux ou trois jours agrémentée chaque soir d'étapes dans des villages où manger des grillades, jouer de la musique, danser. Les revoir tous à la fois, il disait au téléphone. Ces centaines de visages conservés en photo au fond d'un carton, les rassembler en vrai. Permettre qu'ils se rencontrent dans la vraie vie. Mille personnes venues des quatre coins de la France passer un week-end ensemble. Je me moquais de lui.

Mille personnes qui toutes bien sûr sauteraient dans leur voiture pour répondre à ton appel. Mille personnes qui toutes ne demanderaient que ça, faire dix heures de route pour venir retrouver en pleine forêt un type croisé une fois dans leur vie, le temps d'un trajet.

Il refusait de se démonter. Jurait que beaucoup le feraient, il en était sûr. Je peux déjà voir la fête, il disait. Comme si cette idée le rassurait, lui permettait d'imaginer une issue, un dénouement heureux : la dispersion vaincue. L'éternel éparpillement des existences conjuré. La foule des hommes et des femmes reformée.

36

Peu à peu il s'est éloigné. La fréquence de ses courriers s'est ralentie. Nous avons mis du temps à nous en apercevoir. Au lieu de trois ou quatre jours, chaque nouveau pli en mettait cinq ou six à arriver à présent. Puis nous nous sommes habitués à attendre une semaine. C'était ténu, discret, si bien compensé par la chaleur des mots griffonnés au dos des cartes que nous refusions d'y voir un recul. C'était à peine un éloignement. Plutôt quelque chose comme un lent, très lent fondu dans le lointain. Un imperceptible effacement, consciemment ou inconsciemment fait pour paraître moins douloureux.

J'ai pensé que c'était une façon de partir aussi. Certainement pas la plus courageuse. Mais une façon. Sans coup d'éclat. Sans bruit de porte. Par évanouissement.

Sur les quelques cartes qu'il continuait d'envoyer, l'autostoppeur racontait ses projets. Voyages à l'étranger sans quitter la France : Saint-Benin, Venise, Montréal, Porto, Grenade, Le Désert, Dunes. Voyages gastronomiques : Tournedos-sur-Seine, Échalot, Painblanc,

Lentilles, Gras, Autruche, Caille, Mouton, Goyave, Cerisé, La Bouteille, Champagne. Voyages impératifs : Allons, Viens, Cours, Bulle, Bois, Palis, Tournefort, Oust, Cloue, Salives, Soyons. Voyages anatomiques : Menton, Courbes, Corps, Ongles, Hanches, Aureille, Gland, Sein, Chatte, Colonne, Saint-Genou, Osse, Chevillé, Saint-Phal, Saint-Paul-Mont-Penit, La Motte, La Grande-Motte. Voyages adjectifs : Doux, Lent, Vif, Faux, Captieux, Vert, Vieux, Blet, Bidon, Brusque, Joyeuse, Chaudebonne. Voyages amoureux : Suzanne, Germaine, Saint-Désiré, Marguerittes, Paule, La Harengère, La Goulafrière, Félines.

Il y avait des semaines où il était d'humeur sombre : Aspres-lès-Corps, L'Épine, Soucy, Aiguilles. Des semaines où au contraire la beauté du monde l'éblouissait : Bellaffaire, Beausoleil, Beaulieu, Bonson, Beauregard-de-Terrasson, Allenjoie, Aubaine.

Il s'éloignait. Multipliait les pirouettes, comme autant d'écrans derrière lesquels mieux disparaître. Continuer à nous écrire sans plus rien raconter ou presque de ce qu'il vivait.

Un jour d'avril j'ai reçu ce mot.

Sacha tu trouveras ci-joint le dessin d'un projet d'instrument que je voudrais réaliser : un « vidomètre ». Il me servira à mesurer les degrés de vide que je rencontre au cours de mes voyages. Les trois quarts de la France sont déserts, c'est entendu. La diagonale du vide existe, c'est même fou ce qu'elle existe, le nombre d'endroits où tout semble désert, les fermes, les champs, les routes. Mais à quel endroit le vide atteint-il sa plus grande intensité? J'ai été en pleins Causses, dans l'Aveyron. Je me suis enfoncé dans les forêts du Jura. J'ai grimpé jusque sur des séracs désolés en Savoie. Mais le point de plus grand vide, où est-il? Lorsque je demande aux conducteurs leur avis à ce sujet, la plupart se détournent de la nationale et prennent de minuscules routes. Nous sinuons ensemble à travers champs, à travers bois. Puis enfin nous descendons, marchons jusqu'au milieu d'un champ. Jusqu'au fond d'une cuvette. Jusqu'au bord d'un précipice. Là l'homme s'arrête, se tient debout au milieu de la nature silencieuse. Sur son téléphone il vérifie qu'il n'a plus de réseau. Nous écoutons. Nous épions la nature. Nous tendons l'oreille au moindre froissement de feuilles. Je ne sais pas si c'est le vide, mais c'est beau. Hier un homme qui m'avait pris de bon matin s'est piqué au jeu. Il a appelé son travail pour poser sa journée, est resté avec moi jusqu'au soir pour continuer à chercher. Maintenant je suis là, en Ariège. Autour de moi il y a des forêts. Des brebis. Des types seuls qui vivent plus ou moins dans des cabanes construites de leurs mains. Et toi?

37

Et puis les envois se sont taris.

Le printemps est définitivement revenu, et avec lui les beaux jours, les après-midi ensoleillés, l'exubérance des plantes. Nous avons travaillé au jardin, planté une dizaine de pieds de tomates. Agustín qui l'année précédente n'avait pas consacré une heure au potager y a passé deux pleines journées. La table du dîner s'est regarnie d'amis. Il y a eu de belles soirées dans le jardin, arrosées, amicales, jusque tard dans la nuit.

Marie a terminé le premier jet de sa traduction. Elle a pu souffler, prendre du temps pour elle, déserter son bureau. Elle s'est remise à jouer du piano, à lire pendant des heures, à sortir se promener. Nous avons eu de longues journées ensemble, délibérément, joyeusement employées à cet art difficile entre tous : ne rien faire. Des journées désœuvrées, vacantes, ouvertes comme de grandes plages à marée basse. Des après-midi à traîner au lit tous les deux en regardant passer les heures au cadran du réveil. À nous féliciter d'en perdre le plus grand nombre possible. À suspendre le temps jusqu'au tout dernier moment, la fin de l'école sonnée, l'heure d'aller chercher Agustín plus que venue.

Il m'arrivait de voir Marie songeuse, regard perdu dans le vague. Je guettais l'instant où ses pupilles se ressaisissaient, où ses pensées se rebranchaient au monde alentour. D'un coup elle me voyait, voyait que je l'avais vue, me souriait simplement, tranquillement, sans chercher à se défendre d'être partie loin. Je ne lui posais pas de questions. Elle ne me faisait nulle promesse. Les jours passaient et nous les vivions ensemble. Mais en moi c'était là sans cesse : la crainte que tôt ou tard tout finisse. La trouille qu'un beau jour cette vie tous les trois doive s'interrompre. Marie debout dans la cuisine devant moi comme le matin de son retour. M'annonçant qu'elle n'y arrivait plus. Que ces deux ou trois mois ensemble lui avaient fait du bien, l'avaient rendue heureuse. Qu'elle avait voulu y croire. Mais qu'elle le sentait toujours au-dedans d'elle. Creusant un vide qui ne disparaissait pas.

Disant je l'aime toujours Sacha.

Je l'aime toujours ce n'est pas réglé j'ai beau essayer je ne suis pas là.

Certains soirs Jeanne venait dîner. Nous couchions Agustín après le dessert, restions attablés tous les trois dans la cuisine autour d'un dernier verre, ou attendant que la verveine infuse. Jeanne y allait sans détour, les deux pieds dans le plat, par une sorte de renversement de la pudeur qui d'ordinaire lui commandait d'éviter le sujet.

Et l'autre zouave au fait il vous a dit s'il avait l'intention de revenir récupérer ses affaires un jour.

Comme si elle espérait par sa familiarité ôter de la gravité à tout ça, tuer un peu la peur d'en parler.

Il en est où l'artiste il dit quoi on fiche tout dans un garde-meubles et bon débarras ou on attend qu'il vienne lui-même s'en charger.

Marie souriait, la traitait de brute. Répondait qu'est-ce qu'on s'en fout de ses affaires, est-ce qu'elles nous gênent un seul instant. Puis ajoutait n'empêche, j'y avais jamais pensé. Un garde-meubles pourquoi pas. Il y en a un au nord de la ville je pourrais me renseigner.

Un soir que nous étions attablés avec d'autres amis dans le jardin, ce n'est pas Jeanne qui a posé la question mais David, un ami de Marie, traducteur lui aussi, qui l'avait pendant des années connue avec l'autostoppeur. Et tu sais où il vit maintenant.

Cinq ou six mots tout simples qui avaient suffi à ouvrir un gouffre, par tout ce qu'ils faisaient exister soudain de définitif, de tranché, d'irréversible, l'autostoppeur parti, en allé pour de bon, réinstallé ailleurs, son départ assumé non seulement par lui mais par Marie – tout ce que nous passions notre temps à éluder.

J'ai regardé Marie, tous nous avons attendu. Elle a souri imperceptiblement, pris son temps.

Bêtement je l'imagine sur la route. Faisant ce qu'il a toujours fait, continuant d'aller et venir d'un bout à l'autre du pays. Mais tu as raison je manque peut-être d'imagination.

J'ai guetté l'émotion dans la voix de Marie, me suis réjoui de lui trouver le ton ferme, plus assuré que je n'avais craint.

Pendant longtemps j'ai pensé à lui, je me suis demandé où il était, quand il reviendrait. Maintenant j'y pense de moins en moins. Je suis presque triste de ça mais c'est la vérité : ça m'est de plus en plus égal.

Elle a souri d'elle-même.

Bon je ne vais pas mentir. Que tu l'imagines ailleurs, là tout d'un coup ça me blesse. Je le sens bien je suis un peu blessée. Mais c'est la fin je crois. Bientôt ça ne me fera même plus mal.

Elle avait dit cela sans me regarder, sans mettre en balance son ancienne vie et sa nouvelle, voulant bien signifier à tous que ce n'était pas le problème, qu'il n'était pas question de nous comparer l'autostoppeur et moi.

David n'avait pas posé d'autre question. Il y avait eu un silence. Marie était restée silencieuse, réfléchissant chacun de ses mots, refusant de rien dire qui ne soit pensé, pesé.

Avant je m'inquiétais qu'il revienne, elle avait repris en se tournant vers moi. Je me demandais ce qui arriverait. J'espérais et je craignais à la fois que ça arrive. Maintenant c'est fini. Il peut pousser la porte demain et me demander l'hospitalité toute une semaine. Nous la demander à Sacha et moi. Il peut, je saurai faire face.

38

C'est arrivé trois jours plus tard.

Un coup de sonnette imprévu, un matin que je traînais, tardant à me mettre au travail.

Je suis allé ouvrir : il était là, devant la porte. Dans son manteau bleu élimé.

Nous nous sommes regardés. Il m'a serré.

Je viens te chercher.

Qu'est-ce que tu racontes.

Allez viens je te dis, on part. Toi et moi. Tous les deux on s'en va.

Cela dit d'un ton d'évidence, comme s'il ne doutait pas que j'accepte.

Marie a entendu que c'était lui, ou l'a deviné au son de sa voix, à la forme de son ombre dans le couloir, à sa façon de se tenir sur le seuil de la porte. Elle s'est approchée dans mon dos.

Salut Marie.

Qu'est-ce que tu fais là, elle a dit doucement.

Il m'a montré en souriant.

Je te le prends deux jours. Peut-être trois. À tout casser trois. Pas plus je te jure.

Qu'est-ce que vous allez faire.

Je veux l'emmener quelque part.

Quelque part près d'ici.

Quelque part, il verra.

Marie m'a regardé.

Et tu es d'accord Sacha.

J'ai haussé les épaules. J'ai senti que je n'avais pas la moindre envie de le suivre. Que Marie non plus n'avait pas envie que j'y aille. Que j'allais pourtant le faire. Qu'il le fallait. Que même Marie en jugeait ainsi. J'ai ramassé quelques affaires, suis allé chercher dans le placard un duvet. J'ai enfilé mon manteau. Marie est restée près de la porte pour nous regarder partir. Elle nous a embrassés, presque amusée à présent.

Je vous aime mes hommes. Filez.

Avant de tourner au coin de la rue nous nous sommes retournés pour la saluer une dernière fois.

Ne faites pas trop les idiots c'est tout, elle a dit en souriant.

Puis elle a refermé la porte.

Nous avons marché jusqu'à un rond-point à la sortie de la ville. Je me suis senti couillon, d'être là, debout sur ce rond-point connu par cœur. Ma voiture garée à 100 mètres à peine.

On va où, j'ai demandé.

J'ai hésité, il a répondu. Il y avait l'embarras du choix. Saint-Laurent-des-Hommes. Haleine. La Rivière-de-

Corps. Finalement j'ai choisi Orion, un petit village des Pyrénées. Ça te va Orion.

J'ai dit oui.

Alors on se retrouve là-bas.

Il a fouillé dans son sac, en a sorti un panneau indiquant Pau, me l'a tendu.

C'est une course, j'ai demandé.

Il s'est marré.

Non. Simplement on ira plus vite si on est seuls.

Et si je ne pars pas.

Si tu ne pars pas moi non plus je ne pars pas, il a ri.

On reste là tous les deux. À toi la première voiture allez.

J'ai haussé les épaules et je suis descendu me mettre au bord de la route, direction Narbonne. J'ai levé le pouce en montrant mon panneau. Les premiers véhicules sont passés sans ralentir. Au bout de dix minutes une petite Renault s'est arrêtée. Au volant, j'ai reconnu une très vieille dame que j'avais plusieurs fois croisée à la librairie de la ville.

Je ne savais pas que vous faisiez du stop, elle a dit en souriant.

Elle m'a ouvert la porte.

Je m'arrête à Béziers ça ne vous fait pas loin.

Béziers ce sera déjà ça de pris.

J'ai fait un geste à l'autostoppeur pour lui souhaiter bonne chance. Je me suis assis. La dame a redémarré, remonté le boulevard le long des remparts, filé tout droit au feu pour prendre l'autoroute. J'ai regardé la ville s'éloigner. J'ai pensé à tous les kilomètres encore à parcourir. Aux nombreuses heures de voyage qui m'attendaient. J'ai reconnu dans tout mon corps et mes pensées une tension familière, qui ne m'avait plus traversé depuis longtemps : l'excitation du départ. La joie de retrouver la route. J'ai senti que ma voix était un peu éraillée, ma faculté de fraterniser avec mon prochain imperceptiblement émoussée. Mais qu'elle demeurait là, prête à renaître. Ne demandant que ça.

Alors comme ça vous allez à Pau.

À Orion, j'ai dit. Orion un petit village du Béarn, à mi-chemin de Pau et de Bayonne.

J'ai vu que la vieille dame en était sciée.

Bayonne. Bayonne mon dieu et vous espérez arriver ce soir.

Ce soir ce sera juste, j'ai constaté d'une voix tranquille. Mais demain au plus tard. Demain en début d'après-midi si tout va bien.

Elle m'a regardé pour vérifier que je ne blaguais pas.

Mais la nuit. Vous allez la passer où la nuit.

J'ai haussé les épaules, me régalant de rejouer les aventuriers, vingt ans après.

La nuit c'est dans huit heures, on verra bien. Qui sait tout ce qui peut se passer en huit heures.

Elle a ri.

Il est fou. J'en étais sûre il est complètement fou.

39

Le dernier conducteur m'a déposé au milieu d'un carrefour, près d'un panneau qui disait : Orion Quartier Beuste. J'ai promené mes yeux alentour, regardé les bâtisses du minuscule hameau où je venais d'atterrir, juché au haut d'une colline, à la croisée de deux routes. J'ai contemplé la plaine en contrebas. Écouté le bruit du vent dans le rideau d'arbres plantés d'un côté de la route. Cherché partout une trace de l'autostoppeur, en vain.

J'ai lu l'heure à mon téléphone : 14 heures. Je suis resté là, à regarder passer une voiture toutes les dix minutes, à espérer que l'autostoppeur en descende. Tout était silencieux, calme. Comme inhabité. J'ai lu quelques affiches collées sur un transformateur électrique. Annonces de brocantes. De représentations de cirque. De lotos. De concerts dans les villages environnants. J'ai marché le long des maisons pour passer le temps. Deux bergers allemands ont aboyé, m'ont suivi sans me lâcher d'une semelle jusqu'à ce que je sorte de leur périmètre de garde. Je me suis penché pour voir à travers les vitres d'un petit gymnase aux huisseries peintes en rouge. À l'intérieur de la petite salle conçue pour accueillir aussi des concerts, j'ai lu, écrit en grandes lettres rouges sur un mur carrelé : ORION.

Et puis entre deux arbres j'ai vu une fine tour blanche sur la colline d'en face. Une construction comme je n'en avais jamais vu. Cylindre nu, haut. Extraordinairement haut. Fusée venue d'un autre monde, comme tombée là, au milieu des champs et des toits de tuiles inchangés depuis des siècles. J'ai pensé au début de *2001 Odyssée de l'espace*. J'ai songé que c'était peut-être une œuvre d'art monumentale comme il s'en bâtit parfois au bord des autoroutes, Rosace du midi, Porte de l'Atlantique, en général en acier ou en béton, presque toujours sans intérêt. Ou une église d'un genre nouveau, érigée par les adorateurs d'Orion, le plus près possible du ciel.

J'ai trouvé une route qui partait de ce côté. J'ai lu sur un panneau : Orion bourg. J'ai marché vers l'étrange construction. Elle s'est rapprochée. J'ai découvert son grain, une matière qui semblait du béton, avec de la peinture blanche abîmée par endroits. J'ai vu l'échelle courant jusqu'à son sommet. Les fines meurtrières aux deux tiers de la hauteur, seules ouvertures de la base au sommet du fuselage. J'ai compris que c'était un château d'eau. Un simple château d'eau comme il s'en rencontre dans tous les villages. Mais le plus insolite, le plus fascinant château d'eau jamais rencontré.

C'était le mois de mai déjà. Il faisait beau. À présent

les champs alentour étaient de nouveau verts, d'un vert intense, jeune, plein. Un vert ondoyant, plastique, souple, partout égal. Un vert formidablement étale. Au pied du château d'eau j'ai aperçu un amas d'objets noirs : des pneus. Pas des pneus de voitures. Des pneus de camions. Titanesques. Colossaux. Au milieu de l'amas il y en avait deux plus gros encore, pneus de grues ou d'engins géants. Ils étaient disposés l'un près de l'autre, face à la route, couchés dans la pente. J'ai pensé : ce sont deux yeux. Les yeux du géant Orion.

En approchant j'ai deviné une silhouette assise là : l'autostoppeur.

Tu as fait bonne route, j'ai demandé.

Ça va. Je suis arrivé il y a une heure. C'était pas facile la fin.

Non.

Il a montré le paysage en souriant.

On y est. Est-ce que ça fait pas du bien.

Si, j'ai souri.

J'ai attendu. C'est pour ça que tu m'as fait venir jusqu'ici. Pour voir un château d'eau.

Non, il a ri. Je savais même pas qu'il y avait ça ici.

Nous avons regardé la construction aveugle, sans fenêtre ni ouverture.

J'ai cherché l'entrée, il a dit. Le cadenas à la porte est costaud. J'ai essayé de taper dessus, il a tenu bon. On verra ça tout à l'heure.

Je me suis assis près de lui. Nous sommes restés là, à admirer le paysage, le cul dans la terre.

T'as mangé.

Non et toi.

Il a sorti un pot de pâte à tartiner. J'ai pêché un couteau à bout rond dans mon sac, me suis mis à nous faire des tartines avec un centimètre de pâte dessus. J'avais une fois rencontré un grand Suisse-Allemand avec lequel j'avais fait la route pendant une semaine ou deux. Il portait un sac de 40 kilos dans lequel il y avait tout. Un tournevis. Un mini-hamac. Une canne à pêche télescopique. Des boîtes de thon, de sardines, de raviolis. Des biscuits salés et sucrés. Des bottes. Un canot gonflable. Une fois nous avions mis la main sur du pain mais n'avions rien à mettre dedans. Je crois que j'ai du nutella, avait dit le Suisse-Allemand. Il avait fouillé dans les régions inférieures de son sac, passé plusieurs dizaines de secondes à y promener la main, en avait finalement ressorti un pot de pâte à tartiner d'un kilo, aux trois quarts plein. Ah, je savais bien que j'avais ça quelque part, il avait dit paisiblement, comme si lui-même redécouvrait régulièrement des trésors oubliés dans son sac sans fond.

Combien de voitures, a demandé l'autostoppeur.

Cinq.

Cinq, il s'est exclamé. Cinq voitures seulement pour atteindre un bled pareil.

Il a compté.

Moi neuf. Une famille de Hollandais dans une voiture de location. Un représentant de maison d'édition. Un magasinier de grande surface. Un gérant de food truck. Un jeune qui revenait de rendre visite à sa grand-mère. Deux retraités. Un photographe. Ça fait huit. Le dernier va me revenir.

Je lui ai dit les miens. La dame du rond-point de V. Un prof de yoga de retour d'une formation à Toulouse. Le chef d'une boîte de déménagement. Deux graphistes reconvertis dans l'apiculture. Un berger.

Cinq seulement c'est dingue. Et moi qui étais fier de n'être qu'à neuf.

Évidemment si tu montes dans chaque voiture qui s'arrête, j'ai ri.

Ça en disait long sur nous. Le prévoyant, réfléchi, prudent, soucieux d'efficacité. Et le risque-tout, prêt à saisir la moindre opportunité qui se présentera, à monter à bord même d'un tracteur, et advienne que pourra, tant pis si pendant ce temps des voitures lui échappent qui auraient pu l'emmener plus loin.

Moi j'aime pas attendre qu'est-ce que tu veux.

Et maintenant, j'ai dit.

Maintenant quoi.

Maintenant qu'on est là tous les deux.

Il a inspiré une grande rasade d'air frais.

Je sais pas. J'en ai pas la moindre idée. On se repose, déjà.

Tu m'as quand même pas fait venir pour dormir.

T'es pas mort toi.

Si, j'ai ri.

Alors dors.

J'ai grommelé contre lui. Je l'ai maudit. Ses fichus

plans, dans lesquels je n'en revenais pas de me laisser encore entraîner, toutes ces années après. Et puis qu'est-ce que je pouvais faire. Je me suis allongé. J'ai laissé ma tête se poser dans les herbes. Sur un coin de trèfles bien doux d'abord, dans la fraîcheur du sol. Puis sur mon duvet, glissé sous ma tête en guise d'oreiller. Je me suis détendu. Je me suis senti bien. J'ai pensé que je n'avais pas fait ça depuis longtemps : dormir tout habillé dans la terre. J'ai regardé les nuages dans le ciel. J'ai pensé que je n'arriverais jamais à dormir. Que cela faisait beaucoup trop de ciel blanc au-dessus de moi. Beaucoup trop d'oiseaux occupés à piailler alentour. Et puis j'ai dormi. Dormi comme dorment tous les dormeurs du monde, tous les affalés, les laborieux, les écrasés de fatigue. J'ai ronflé.

Je me suis réveillé au bout de deux heures peut-être. L'autostoppeur était debout, sa tente montée. Il avait tout installé pour lui. Soigneusement monté l'entrée face à la vue.

Tu veux que j'installe la tienne.

Je le ferai tout à l'heure.

Il m'a montré un thermos posé contre son sac.

Café.

T'as ça sans déconner.

Il a fait couler le jus dans le capuchon. Ça n'a pas fumé, je ne peux pas dire ça, il y avait trop longtemps qu'il se le trimballait. Mais quand même. C'était tiède. C'était bon.

Avant sur les autoroutes j'en buvais dix par jour, a dit

l'autostoppeur. Mais sur ces départementales tu peux rester toute une journée sans en avoir. Alors quand je passe dans un bar, en plus d'en boire, je leur demande de me remplir le thermos. Ça les amuse, le plus souvent ils me le font à l'œil.

Au-dessus de nos têtes des nuages filaient. J'étais toujours allongé. À présent les touffes d'herbe autour de moi m'étaient familières. À quand remontait ma dernière sieste dans l'herbe.

On va faire un tour, a proposé l'autostoppeur.

Je me suis fait violence, j'ai soulevé mes os, me suis mis debout.

Nous avons remonté la rue principale, longé les maisons. À une fenêtre nous avons vu une silhouette nous regarder de derrière le rideau. À une autre un visage nous adresser un bonjour en guise de bienvenue. Près du petit bâtiment de la mairie, nous avons trouvé une vieille cabine téléphonique aux parois de verre dépolies, au combiné encore pendu au flexible en métal. Arrivés à la sortie du village, nous sommes revenus sur nos pas. Le ciel était sombre, beau.

Tu crois qu'il va pleuvoir.

J'espère que non.

Nous nous sommes arrêtés devant une plaque de marbre scellée sur un petit monument.

De 1940 à 1944, répondant à l'appel du général de Gaulle, Orion, réseau de la France combattante, a lutté dans la Résistance pour l'honneur et la liberté de la patrie.

J'ai vu que l'autostoppeur s'arrêtait longtemps sur

ce texte. Qu'il était ému : un réseau d'hommes et de femmes unis en secret pour la liberté. Un réseau au nom de constellation.

Nous sommes revenus au pied du château, l'avons dépassé, sommes descendus vers le fond du vallon tout proche. En bas, sous les arbres, nous avons aperçu un filet d'eau argenté. Il devait être 17 heures. La température commençait à fraîchir. J'ai regardé l'autostoppeur enlever son tee-shirt, déboutonner son jean.

Qu'est-ce que tu fous.

Je vais me laver.

Elle est glacée.

Il est entré dans l'eau, a serré les dents. J'ai regardé le liquide lui mordre les chevilles. Sa silhouette s'arquer sous l'effet du tranchant des pierres. Il s'est penché, a commencé à recueillir l'eau au creux de ses paumes, à se la verser sur la nuque. S'est laissé glisser dedans en soufflant à grand bruit pour lutter contre le froid. J'ai pensé à ces images que j'avais toujours trouvées peu esthétiques : les babos cul nul dans la rivière. Le blanc pâlichon, disgracieux, incongru de tous ces corps dans l'eau.

Je l'ai imité. Je me suis déshabillé, je suis entré dans l'eau. En me penchant j'ai vu les insectes, les dytiques, les punaises d'eau. Même les poils à mes jambes m'ont paru étranges. Chaque poil comme un poireau bizarre, jailli d'une protubérance de la peau pareille à un petit bulbe, dans la froideur de la lumière blanche. Ma peau pas si différente de celle d'une poule au fond, j'ai pensé.

257

Il m'a semblé que j'étais parti depuis longtemps. Hier, a dit une voix en moi, pour corriger mon impression. Hier encore tu étais avec Marie et Agustín. J'ai regardé les arbres au-dessus du ruisseau. Mon pantalon posé sur les pierres au bord de la rivière. Les rochers à fleur d'eau. Le courant. Le miroitement du courant dans le soleil. La poussée de l'eau contre mes jambes et tout mon corps. Hier, j'ai à nouveau pensé. Il y a vingt-quatre heures à peine tu étais chez toi.

40

Remontés de la rivière, nous nous sommes changés. Nous avons étendu nos slips sur les branches d'un arbre. J'ai monté ma tente. L'autostoppeur s'est recoiffé avec un petit bout de miroir.

Et puis une silhouette s'est approchée. Une fille de notre âge, avec un sac en toile, marchant jusqu'au collecteur de verre tout proche. Nous avons entendu les éclats des bouteilles jetées l'une après l'autre dans le bac. Puis elle est venue jusqu'à nous.

On peut se mettre là on ne dérange personne, j'ai demandé.

Elle a secoué la tête en souriant.

Vous êtes sur le terrain de monsieur Coustard, qui serait déjà venu vous souffler dans les bronches s'il vous avait vus. Mais vous avez du bol, il est pas là en semaine. Il a sa ferme à Sauveterre. Ces pâturages il n'y laisse ses vaches que l'été. De toute façon vous avez pas prévu de rester là jusqu'en juin j'imagine.

Non, s'est marré l'autostoppeur.

Je vous ai vus arriver tous les deux. J'habite là.

Elle a montré une maison toute proche, dont les fenêtres donnaient de notre côté.

Deux inconnus qui débarquent sans prévenir, qui s'allongent dans l'herbe, qui commencent à monter leur tente là, au pied du château d'eau. Pas besoin de vous dire que ça se remarque.

On n'a pas cherché à se planquer, a dit l'autostoppeur. J'ai vu.

De toute façon on reste juste la nuit. Demain matin vous serez débarrassés.

Bon, a dit la femme en repartant. Si vous avez besoin de quoi que ce soit n'hésitez pas. Je suis tout près. Si vous avez envie d'un café, de quelque chose de chaud.

On n'hésitera pas, j'ai dit en remerciant.

Nous avons regardé la silhouette disparaître dans la maison. La porte se refermer. Une tête d'enfant débouler de l'escalier. J'ai monté ma tente. La lumière était plus basse maintenant, on sentait le soir venir.

Il va se mettre à cailler. Faut qu'on fasse gaffe, dès que la nuit tombera on sera gelés.

T'as des trucs à manger, il a demandé. On a fini la pâte à tartiner.

Du pâté, j'ai répondu. Un fond de pâté et du pain. Ça et peut-être deux ou trois bricoles.

J'ai sorti tout ce que j'avais. Le pâté. Trois pommes. Un morceau de tomme. Un bout de baguette.

Nom de dieu c'est Byzance.

Nous avons marché jusqu'au tas de pneus, posé nos

derrières sur le caoutchouc moelleux, chauffé par le soleil. L'autostoppeur a ouvert le bocal de pâté à demi entamé.

J'espérais qu'on serait dans un village où il y aurait un bar, une pizzeria, quelque chose. J'avais même pas vérifié. On est à Orion, j'ai dit joyeux. Orion la ville des géants. Le goût du pâté était fort, relevé par la journée d'attente dans le bocal ouvert puis refermé. Il y avait de la gelée sur les bords. Avec un bout de pain j'ai raclé le pot. Englouti tout ce que je pouvais. J'avais faim. Une faim immense, monstrueuse. Un demi-pâté à deux, avec ce froid, c'était même pas le début d'un amuse-gueule. Le pain était élastique. Du pain de supermarché. Sous les dents ça s'écrasait comme du carton. Un mélange d'air et d'alvéoles trop fines, trop vite réduites à un substrat qui ensuite dans la bouche faisait boule, collait aux dents. À la toute fin le goût venait. Pas trop tôt. Quand même ça faisait du bien.

La porte de la maison d'en face s'est rouverte. La femme est réapparue, a marché vers nous.

J'ai réchauffé un reste de daube, si ça vous tente.

De la daube, a dit l'autostoppeur. Comment on pourrait dire non.

Vous voulez que je vous la porte ici, a demandé la femme. Ou vous voulez venir la manger à la maison.

J'ai regardé l'autostoppeur.

À la maison ce sera plus chaleureux c'est sûr.

À la maison alors venez.

On ne dérange pas vous êtes sûre.

Puisque je vous le propose.

Nous avons marché tous les trois jusqu'à la porte de la petite maison. Par les fenêtres nous avons vu le plat sur le feu.

Posez vos manteaux, elle a dit.

Nous nous sommes déchaussés. Sous mes pieds j'ai senti le parquet, entendu le craquement fin du bois. Un parquet clair, bon marché, en pin tout simple. D'un coup, nous nous sommes trouvés au chaud. Pas la chaleur isolée d'un feu ou d'un brasero. Une chaleur pleine, enveloppante, qui donnait l'impression de pénétrer dans un autre monde, accueillant, protecteur. Un monde où il était inconcevable qu'on vous laisse entrer si c'était pour qu'après vous ayez à retourner dans l'autre, l'inhospitalier, le froid.

Le bruit d'un dessin animé s'entendait au salon. La gamine aperçue par la fenêtre a surgi dans le couloir. Elle a couru jusque dans les jambes de l'autostoppeur, levé sa petite tête vers nous.

C'est qui maman.

C'est des amis qui viennent manger. Demande-leur comment ils s'appellent.

L'autostoppeur a dit son prénom. J'ai dit le mien: Sacha.

Et toi tu t'appelles comment, a demandé l'autostoppeur.

Lila, a dit la fillette.

Ça sent bon, a dit tout haut l'autostoppeur. Mamma mia ça sent bon.

Il a marché vers la cuisine.

Moi c'est Souad, a dit notre hôtesse. Bienvenue chez nous.

Nous avons regardé le petit salon, la cuisine américaine, la table adossée au comptoir.

Vous vivez là depuis longtemps, a demandé l'autostoppeur.

À Orion depuis vingt-cinq ans, a répondu Souad. Dans cette maison, depuis quatre.

Elle a coupé le feu sous la daube, soulevé le plat.

Allez tout le monde à table.

Elle a élevé le ton pour appeler Lila disparue dans sa chambre.

Lila mon amour à table.

D'un geste du menton elle nous a montré l'évier.

Il y a du savon à côté si vous voulez vous laver les mains.

Cela dit l'air de rien, mais d'une voix sûre d'elle. Habituée à ne pas demander les choses deux fois. L'autostoppeur et moi nous avons marché vers l'évier, lavé nos mains sales comme des gamins pris en faute, un peu penauds. La gamine est ressortie de sa chambre, nous a rejoints à table.

C'est bon d'être là, j'ai dit. Merci.

Les couverts brillaient sur les sets de sable. J'ai pris la fourchette et je l'ai soupesée, j'ai savouré son poids. Le poids de vrais couverts, d'une table mise.

Tendez-moi vos assiettes, a dit Souad.

J'ai porté une cuillère de daube à ma bouche. La

viande était fondante, la sauce brûlait. J'ai senti le jus emplir ma bouche, envelopper mes papilles. J'ai attendu avant d'en prendre une deuxième cuillère. Que la première ait bien fini d'abord de se diffuser dans mon palais. Qu'elle m'ait bien empli toute la bouche.

J'ai mis assez d'orange, a demandé Souad.

L'autostoppeur n'a pas répondu. Il avait déjà avalé les deux tiers de son assiette.

Souad et Lila ont ri.

Eh ben ça fait plaisir. Je vous voyais tous les deux dehors avec votre pain dur, vous me faisiez de la peine.

Nous aussi on se faisait de la peine.

Vous aviez rien à manger, a demandé Lila.

On avait du pâté, j'ai dit pour la rassurer. C'est bon aussi le pâté.

C'est bon mais putain c'est froid, a ri l'autostoppeur. Le pâté au mois de mai quand la nuit tombe c'est horrible comme c'est froid.

Par la fenêtre j'ai regardé la nuit noire dehors. Le ciel noir. L'herbe noire. J'ai pensé que les tentes devaient être là, dans le froid. Qu'il faudrait y retourner. Ouvrir le nylon perlé de gouttes d'eau. Plonger dans l'habitacle glacé.

Mon duvet, j'ai pensé d'un coup. Est-ce que j'ai bien posé mon duvet sur mon sac pour éviter qu'il reste au contact du sol. Est-ce que je vais le retrouver trempé contre le nylon mouillé.

Vous êtes à Orion à cause du réseau de résistants, a demandé Souad.

On ne savait rien de ce réseau, a dit l'autostoppeur. On l'a découvert en lisant la plaque.

Tant mieux, ça veut dire qu'elle sert. Ce qu'on a pu se battre pour qu'elle soit installée. C'était un réseau important, qui a joué un vrai rôle. Fondé par Henri d'Astier de La Vigerie. Ça vous dit quelque chose peut-être. Un royaliste au départ, un type d'extrême droite quasiment, devenu héros de la Libération. Célèbre pour avoir pris Alger presque à lui tout seul et permis aux Alliés d'utiliser le port.

Vous êtes historienne.

Non je suis adjointe au maire. Depuis quinze ans. Je travaille à la verrerie de Beausoleil.

Vous êtes verrière alors. Ça se dit comme ça?

Souad a souri.

Absolument ça se dit comme ça. Sauf que moi je ne suis ni verrière ni souffleuse, désolée de vous décevoir. Je suis directrice des ventes.

Vous veillez à ce que le verre de Beausoleil rayonne dans toute la région.

Dans toute la région et à l'étranger. Heureusement qu'il y a l'étranger, on aurait du mal à continuer.

On est venus à cause du nom, a dit l'autostoppeur : Orion.

Vous êtes amateurs d'étoiles.

On est amateurs de villages qui ont un beau nom. Quand on a vu Orion sur la carte on s'est dit : voilà un village où il faut aller.

265

Vous avez eu raison. C'est vrai que c'est beau. Avec l'habitude on ne s'en rend plus compte.

Elle a laissé passer un temps.

Et Orion ça vous évoque quoi.

Le géant, a dit l'autostoppeur. Orion le chasseur à qui on crève les yeux.

J'avais oublié, a dit Souad. Je me rappelais plus qu'il y avait ce géant.

Moi non plus je sais pas bien son histoire. Mais Sacha la connaît c'est sûr, a dit l'autostoppeur en se tournant vers moi comme vers une encyclopédie. Sacha sait tout.

Il a souri d'un air que je n'aimais pas. J'ai fait attendre ma réponse. Que Souad voie bien que je n'étais pas aux ordres. Surtout pas alors que je finissais d'avaler une bouchée de sa daube.

Au départ Orion est bien chasseur c'est vrai, j'ai dit après quelques secondes. Il veut épouser la fille d'un roi, mais le roi n'est pas d'accord. Plutôt que de lui dire non, il lui lance un défi : Orion ne sera digne de sa fille que s'il réussit à tuer tous les fauves qui attaquent le bétail de l'île. Pas de bol : Orion y parvient. Alors le roi trahit sa promesse. Il le fait capturer par ses hommes et leur demande de lui crever les yeux. Quand Orion se réveille il est abandonné sur le rivage. Tout près de lui il entend la mer. Il la cherche, se tourne de tous les côtés, ne la voit nulle part. Il comprend qu'il est devenu aveugle. Il ne voit plus qu'un peu de lumière au loin, tout là-bas, au-dessus de la mer : le soleil. Alors il se met à marcher dans cette direction, à marcher toujours droit devant lui, vers la lumière. Il entre dans l'eau, s'enfonce dans la mer, marche très longtemps dans les flots, à pas de géant. Je ne sais plus ce qui arrive ensuite mais je crois bien qu'il fâche un dieu. Ou une déesse. Qui le punit en envoyant un scorpion le piquer.

Et le scorpion le tue, a demandé Lila. Il meurt pour de bon.

Les scorpions ça ne rigole pas, j'ai dit en la regardant. Bien sûr qu'il meurt. Mais même la déesse est triste. Alors pour éviter qu'on l'oublie elle le transforme en constellation.

Ça veut dire qu'il monte au ciel.

Ça veut dire qu'il devient un amas d'étoiles tout là-haut dans la nuit. L'amas qui aujourd'hui porte son nom.

Lila m'a regardé pour voir si je blaguais.

Mais c'est vrai cette histoire.

Bien sûr c'est vrai, a dit sa mère en riant.

Et vous savez le trouver dans le ciel.

Je vois à quoi il ressemble. Ses bras d'un côté, ses jambes de l'autre, et au milieu trois étoiles comme une ceinture. Mais savoir le repérer.

Lila s'est levée de table.

Venez on va le chercher.

Elle a filé vers la porte, nous l'avons suivie jusque dehors. Là, nous sommes restés tous les quatre dans la nuit, à regarder le ciel couvert, sombre, étonnamment charbonneux. Troué seulement par endroits de faibles lueurs d'étoiles.

Heureusement il fait mauvais, j'ai dit en riant. On a une bonne excuse.

Nous avons trouvé la Polaire, la Grande Ourse, la Petite Ourse. Les Pléiades, comme un amas lumineux tout là-bas au fond du ciel. Puis Lila a dit qu'elle avait froid. L'autostoppeur et elle sont rentrés. Je suis resté trente secondes encore avec Souad, debout l'un près de l'autre dans la nuit. Elle a montré nos tentes, mal discernables au fond du champ.

Dire qu'il y a des fous qui dorment là-dessous.

Je l'ai sentie tout près de moi.

Et ce château d'eau c'est quoi, j'ai dit en montrant la tour discernable même dans la nuit. On dirait un observatoire. Ou un totem. Pourquoi ils l'ont pas fait comme tous les châteaux d'eau, avec un pied étroit et une citerne évasée au-dessus.

Ils l'ont fait comme ça leur est venu.

Et personne n'a jamais pensé à le mettre dans un film.

Parce que dès que quelque chose est beau il faudrait le mettre dans un film.

T'as raison c'est idiot.

Nous avons encore cherché quelques secondes dans le ciel.

Nous sommes rentrés.

Maman je peux regarder la fin de mon dessin animé, a dit Lila.

Non tu vas te coucher ma puce.

Déjà.

Allez va vite te brosser les dents, demain il y a école.

La gamine a marché vers la salle de bains, suivie de sa mère.

Nous les avons entendues continuer de parler devant le lavabo.

Ils vont dormir où les amis. C'est vrai qu'ils vont dormir dehors. Maman je te parle : c'est vrai qu'ils vont dormir dehors.

Ils sont habitués ma chérie.

Ils vont pas avoir froid ?

Mais non ils ont des tentes ils sont habitués.

Et pourquoi ils dorment pas dans la chambre d'amis. Pourquoi ils dorment pas dans la chambre d'amis puisque c'est des amis.

Ça suffit Lila brosse-toi les dents, a ri Souad.

L'eau du robinet a coulé, Lila a craché dans le lavabo, s'est rincé la bouche une fois, puis deux. Elles sont ressorties, ont marché jusqu'à la chambre du bout du couloir. Souad a disparu quelques minutes derrière la porte avec sa fille. Elle est réapparue, a éteint la lumière derrière elle.

Elle a vu les assiettes déjà débarrassées, les verres vides.

Qu'est-ce que je vous fais. Une tisane. Un verre de rhum.

Une tisane allez, a dit l'autostoppeur. Une verveine et on y retourne.

Souad a mis l'eau à bouillir. Elle est restée quelques secondes sans rien dire, comme si elle hésitait.

Je ne vous propose pas de dormir là, ça ne vous dérange pas.

La bouilloire a fait tac, elle l'a soulevée de son socle, a versé l'eau bouillante sur les sachets, dans des petites tasses japonaises.

C'est minuscule ce village. J'ai tendance à me foutre pas mal de ce que les gens pensent, mais quand même, s'ils me voient héberger deux inconnus de passage, ça va jaser.

L'autostoppeur et moi avons souri.

Déjà ce dîner improvisé ça va jaser, non?

Souad a montré les fenêtres.

Oui mais là tout le monde nous voit. Tout le monde le sait, qu'on boit une tisane.

J'ai juste une requête, a demandé l'autostoppeur. En entendant l'eau de la salle de bains tout à l'heure ça m'a donné envie.

Vous voulez prendre une douche.

Simplement me raser. Me raser à l'eau chaude. Il y a tellement longtemps que je n'ai pas fait ça. Je vais chercher mon rasoir, j'en ai pour deux secondes.

Il est sorti, nous laissant seuls tous les deux Souad et moi.

C'est chouette d'être là, j'ai dit à Souad. Merci de cette soirée.

Je ne sais pas ce qui m'a pris de vous proposer de venir. Je ne fais pas ça souvent.

Moi non plus, j'ai dit.

Quoi.

Dormir sous la tente. Manger une daube à l'improviste. Lui oui, j'ai dit en montrant la direction des tentes et de l'autostoppeur. Lui il est toujours sur les routes. Moi ça faisait des années. L'autostoppeur est revenu, sa trousse de toilette et une serviette à la main. Nous l'avons entendu se raser dans la salle de bains. Le chuintement de la mousse à raser. Les raclements de la lame sur la peau. Le tapotement du rasoir contre la faïence de l'évier à chaque rinçage à l'eau chaude. Nous avons vu la vapeur d'eau sortir par bouffées de la salle de bains. Il est sorti changé : son visage plus jeune. Ses joues nues, lisses, belles, sentant bon. Ses lèvres plus visibles d'un coup. Avec quelque chose de maladroit qui le rendait beau.

T'es sûr que tu veux pas en profiter toi aussi.

J'ai regardé Souad en hésitant.

Moi c'est une douche que je prendrais bien. Une douche rapide et on te laisse tranquille.

Souad s'est marrée.

Allez fonce on t'attend, a dit l'autostoppeur.

J'ai pris ma douche. J'ai laissé longtemps l'eau chaude couler sur moi, ruisseler du sommet de mon crâne à la plante de mes pieds, épouser toutes les rigoles de mon corps, m'envelopper, me réchauffer. À la fin une main a frappé à la porte.

Sacha, a dit la voix de Souad.

Je suis sorti de la cabine de douche pour entrebâiller la porte. Le bras de Souad est passé pour me tendre une serviette. Je l'ai remerciée, me suis rhabillé en vitesse. Quand je suis ressorti l'autostoppeur était déjà en manteau devant la porte.

Ça va aller, nous a demandé Souad. Vous allez pas avoir trop froid.

Orion en mai on a vu pire, a dit l'autostoppeur.

Bonne nuit alors.

Elle nous a fait une bise à chacun.

Nous l'avons quittée.

En nous disant au revoir j'ai vu qu'elle me regardait un peu.

Elle était belle, j'ai dit.

Elle était super, a dit l'autostoppeur. Et tu lui plaisais drôlement.

C'était bon cette daube.

C'est bon aussi d'être dehors, après toute cette chaleur.

L'autostoppeur disait vrai.

À présent le froid mordait moins. Le ciel s'était dégagé. Nous étions doucement ivres.

Eh ben les voilà, les étoiles.

Il y en avait partout au-dessus de nos têtes. Des milliers. Devant nous le château d'eau se dressait, immense, noir. Avec l'amas de pneus à son pied. Et nos tentes installées tout contre.

Putain ça pèle quand même, a dit l'autostoppeur. Vite sous la tente allez.

J'ai plongé dans mon igloo de nylon, trouvé mon duvet glacé mais sec. Je me suis glissé dedans tout habillé, grelottant, congelé.

Sacha, a dit l'autostoppeur. On n'est pas bien là.

Non je crève de froid, j'ai dit en riant.

Il a répété on n'est pas bien. Putain on n'est pas bien. On est bien, j'ai concédé.

Puis il a dû s'endormir, ou moi. Lequel des deux en premier, je ne sais pas.

41

En m'éveillant j'ai voulu regarder l'heure. J'ai vu que mon portable était déchargé, le jour levé. J'ai senti en m'étirant que le bout de mon duvet, resté appuyé contre la paroi de la tente pendant la nuit, avait pris l'humidité. J'ai remonté les pieds, suis resté roulé en boule à regarder les objets baignés de bleu nylon alentour. Mes chaussures. Mes chaussettes. Mon manteau. Mon sac. Un livre. Tout cela resurgi de l'obscurité pendant mon sommeil.

J'ai tendu l'oreille, à l'affût des bruits venus de la tente de l'autostoppeur. J'ai un peu remué dans mon duvet, ouvert la fermeture éclair de mon sac. Je me suis demandé si ce zip allait provoquer une réaction chez lui. Le décider à dire un mot, à émettre un signe d'éveil.

J'ai attendu encore dix minutes. Je n'avais pas la moindre idée de l'heure. J'ai eu envie de voir ce qui se passait du côté de chez Souad. J'ai ouvert la moustiquaire. Dézippé l'entrée de la tente perlée d'eau. J'ai sorti la tête dans le froid. Je n'ai pas vu la tente de l'autostoppeur. J'ai pensé que je ne la cherchais pas au bon endroit. J'ai tendu le cou pour regarder de l'autre côté. J'ai vu l'herbe un peu couchée là où il l'avait plantée. J'ai senti mon cœur battre. Je me suis mis debout, j'ai enfilé mes chaussures. J'ai regardé alentour, scruté les rues et les arbres et les maisons muettes. Le château d'eau muet lui aussi au-dessus de ma tête, redevenu gris pâle, fantastiquement haut dans la lumière du matin. J'ai marché jusque chez Souad. Constaté que la voiture n'était plus là. Que Souad et Lila étaient déjà parties. J'ai marché entre les façades silencieuses, remonté la grand-rue jusqu'à son extrémité, fait demi-tour. De loin j'ai regardé ma tente plantée au pied du château d'eau. La tente d'un type un peu bizarre, un peu fou, venu coucher là au pied d'un château d'eau, à côté d'un tas de pneus.

J'ai un peu attendu pour voir si l'autostoppeur réapparaissait. J'ai marché jusqu'à l'igloo de nylon bleu. J'ai contemplé la douce ondulation des collines. Le vert tendre des champs. Les bourgeons aux branches des arbres. Écouté le bourdonnement d'un tracteur au loin.

J'ai repensé à la soirée de la veille. À la baignade dans la rivière. Au sourire qu'avait eu l'autostoppeur en venant me chercher deux jours plus tôt. J'ai repensé à tous les moments que nous avions passés ensemble ces derniers mois. Au plaisir inattendu que j'avais eu à le revoir. J'ai repensé à mes mots d'autrefois : je veux que tu sortes de ma vie. À la rivalité entre nous qui d'un coup s'était trouvée dégonflée, vidée de sens, renvoyée à une époque trop lointaine pour qu'il nous semble utile de l'évoquer. J'ai eu envie qu'il soit de nouveau là. J'ai crié son nom. J'ai attendu. J'ai replié ma tente. Refait mon sac. Rempli ma bouteille au filet d'eau d'une fontaine. Je suis reparti.

42

J'ai retrouvé Marie. Je lui ai raconté la tente disparue au réveil.

Elle s'est arrêtée de travailler, a regardé longtemps le jardin par la fenêtre sans rien dire d'abord.

Puis elle a fermé son ordinateur, est descendue me rejoindre en bas. Prends-moi dans tes bras. Serre-moi contre toi Sacha. Viens, j'ai dit, et j'ai marché jusqu'au salon. Je me suis allongé sur le petit lit couvert de coussins, parmi les livres et les disques. Je me suis collé contre le mur pour lui faire une place. Elle s'est scotchée à moi de tout son long. Nous avons ri d'être à deux doigts de tomber. À l'étroit comme deux ados sur un lit d'enfant.

On est bien, elle a dit.

Oui.

J'ai vu qu'elle hésitait.

Il t'a parlé, elle a demandé après un moment. Avant de partir il a dit quelque chose.

Il a dit comme toi. La même chose exactement que

toi à l'instant : on est bien. On venait de plonger sous nos tentes, on était heureux, on avait passé une belle soirée.

Et il est parti pendant la nuit.

J'ai acquiescé. Elle m'a serré.

Tu vas venir vivre avec nous, elle a demandé.

Parce que je vis pas avec vous depuis des mois.

Elle a secoué la tête, elle a souri, les yeux rougis.

Non tu vas venir vivre avec nous pour de vrai.

Cela dit d'un ton qui ne souffrait pas de discussion. Un ton impérieux, définitif, fait pour m'amuser, qui m'a bouleversé.

J'ai dit oui.

En prenant bien mon temps, comme si je voulais attendre d'abord, m'assurer qu'elle ne faisait pas marche arrière, que l'euphorie en moi n'allait pas être tuée d'un coup.

Je vais venir d'accord.

43

J'ai rendu mon appartement. Déménagé chez Marie et Agustín les quelques affaires que j'avais. En arrivant je les ai posés dans l'atelier de l'auto-stoppeur. J'ai décroché les affiches et les photos punaisées aux murs. Installé à la place des étagères. Des livres. Pas beaucoup de livres, mais ceux que j'aime avoir autour de moi. J'ai ressorti la vingtaine de toiles abandonnées depuis des mois. Elles m'ont paru moins ratées que dans mon souvenir. J'ai attrapé mon téléphone, pianoté dessus le numéro d'un ami galeriste, pris rendez-vous avec lui. J'ai trempé un pinceau dans mon dernier pot de peinture jaune safran. Sur un carton d'invitation A5 j'ai peint le titre de la future expo, *La mélancolie des paquebots*. Les quatre mots sur le carton m'ont plu.

Marie a rendu sa traduction du livre de Marco Lodoli. J'ai découvert la fin de *Vapore*. La dispute du père et du fils. La fin du jeu. L'anéantissement du rêve que la vie puisse n'être toujours que légèreté, grâce, refus du sérieux, de la colère, de la haine.

J'ai aimé Marie plus fort encore, de m'avoir fait lire ça. Aux vacances suivantes nous avons laissé quelques jours Agustín à la mère de Marie. Nous sommes allés rendre visite à Lodoli à Rome. Nous avons déjeuné avec lui dans un petit restaurant de fruits de mer de la rue Machiavelli, cependant qu'au-dehors tombait un orage glacé. Quand la pluie s'est arrêtée je suis sorti me promener pour les laisser travailler. J'ai marché par les rues lavées, suis entré dans un grand parc aux allées usées, aux bancs squattés par des silhouettes en survêtement fatiguées, visages sombres, capuches rabattues à la recherche d'un peu de sommeil. Je me suis assis à la terrasse d'un kiosque d'où s'apercevaient les arches du Colisée. Là je suis resté à regarder un goéland jouer avec un gros os dans l'herbe encore mouillée, peiner à le soulever. À un moment une corneille l'a rejoint. Tous les deux ils ont continué à picorer l'os, le goéland plus lourd, la corneille plus mobile, plus vive. Le soleil est réapparu au-dessus des pins et des cyprès. Un grand Sénégalais m'a apporté un deuxième ristretto en chantonnant, ses longs bras balançant la tasse sur un petit plateau, comme on bat la mesure. Le soleil s'est fait plus chaud. La terrasse s'est remplie d'autres désœuvrés venus prendre la lumière. Un père de famille avec un paquet de chips. Un type chauve en survêtement bleu turquoise, nez en l'air, doigts affairés à tortiller les scoubidous de son fauteuil.

Sur le chemin du retour nous devions changer de train à Marseille. Et si on prenait le premier hôtel. Si on dormait là une nuit ou deux.

Il faisait beau, c'était le mois de juin maintenant, l'eau des calanques était fraîche le matin mais le corps s'habituait vite, d'en bas les façades des villas de la corniche vibraient doucement dans la lumière, la ville était blanche, les rochers brillants.

Nous avons passé là deux nuits, en amoureux, incognito. Le premier matin nous nous sommes baignés à Malmousque. Le second à L'Estaque. Ce jour-là j'ai nagé à côté de Marie pendant un quart d'heure puis j'ai commencé à avoir froid, je lui ai dit je rentre. Elle m'a envoyé un baiser et elle a continué de nager. Je l'ai regardée s'en aller vers le large, piquer droit vers le lointain, presque disparaître, ne plus être à la fin qu'une tête d'aiguille perdue au milieu de la mer immense. J'ai grimpé parmi les rochers pour prendre de la hauteur. Je l'ai retrouvée, nageant toujours dans le bleu. Des rochers je l'ai regardée revenir lentement, me chercher sur la plage, s'inquiéter de ne plus me trouver, m'apercevoir enfin perché là-haut, crawler alors vers la rive dans un dernier sprint, comme si elle ne nageait pas depuis une heure déjà dans l'eau à 15 degrés.

Ce matin-là près du Vieux-Port nous sommes tombés sur Jeanne. Jeanne accompagnée de Fabrice, un ornithologue du parc de Camargue avec qui Marie m'avait dit qu'elle avait une histoire.

Vous êtes là, a dit Jeanne.

Marie a ri.

Vous aussi vous êtes là.

Nous avons bu un verre tous les quatre.

Et Agustín, a demandé Jeanne.

Il est chez ma mère, a dit Marie. On le retrouve ce soir. Faut qu'on lui rapporte quelque chose.

Vous savez déjà quoi.

Marie a secoué la tête.

Des jumelles, a dit Fabrice.

Des jumelles rien que ça. Et pourquoi des jumelles.

Ça sert toute la vie des jumelles.

Des jumelles c'est beaucoup plus que ce que j'imaginais.

Des jumelles c'est pour la vie. Et puis c'est beau. Je viens d'en voir dans un magasin.

Vous croyez.

Jeanne et moi avons haussé les épaules et dit que oui, des jumelles c'était beau.

Marie et Fabrice se sont levés pour aller les acheter.

Je suis resté avec Jeanne. Elle a hésité. Il y avait du bruit autour de nous, les verres tintaient, des couverts s'entrechoquaient sur les tables.

Ça fait plaisir de voir Marie heureuse comme ça.

Elle l'avait dit tout bas, d'un ton calme, mais parfaitement audible. J'ai senti le bien que me faisaient ses mots. Le sourire qu'ils me donnaient malgré moi.

Elle est heureuse tu crois.

Cela dit juste pour qu'elle le répète.

Elle est heureuse je la connais.

Jeanne a dû voir mon sourire. J'ai essayé de le planquer un peu, de rebondir comme je pouvais.

Et moi de me voir heureux tu t'en fous.

Complètement, elle a ri.

Elle a pris son verre et bu une gorgée.

Toi c'était facile tu l'aimes depuis le début.

44

Avec Marie et Agustín je me suis remis à voyager, presque toujours en voiture, presque toujours sans but bien défini, plein ouest, ou plein sud, ou plein nord. J'ai retrouvé le goût de la route. Lorsque nous passons à proximité d'un village dont le nom nous étonne, nous faisons un détour. Nous allons photographier l'église, le panneau d'entrée dans le village, une ou deux enseignes qui nous amusent.

L'été d'après la disparition de l'autostoppeur nous avons pris la voiture et roulé tous les trois jusque dans les Landes. Nous sommes montés au haut de la dune du Pyla, avons dévalé la pente en courant avec Agustín, avons joué de longues heures tous les trois dans le sable blond, alternant les plongeons dans les vagues et les courses sur la plage brûlante.

Tous les trois nous faisons bon ménage, les journées sont joyeuses, il y a parfois de la fatigue, des disputes. Mais tout de même : nous allons bien.

Certains jours je me demande si je n'ai pas rêvé le

voyage à Orion. Si cette nuit-là au pied du château d'eau il y avait vraiment une deuxième tente à côté de la mienne. Parfois j'ai l'impression que c'est lui dans la rue. Lui derrière le pare-brise de cette voiture croisée trop vite pour que j'aie le temps de bien voir. Ou j'ai la certitude qu'il va apparaître sur le trottoir d'en face, ou à l'angle de la rue où je m'apprête à tourner. Tout vacille : il me semble qu'il est là, qu'il n'est jamais parti. Qu'il est resté là tout ce temps, tout près, depuis toujours.

Certains matins la sonnette retentit : je sursaute un peu. Le sang me bat aux tempes. Je vais ouvrir en me préparant à le trouver devant moi. Mais non. C'est un ami. C'est la factrice qui passe plus tard que d'ordinaire. Une fois on a sonné à minuit. J'ai eu la certitude que c'était lui. Une certitude à laquelle j'ai senti qu'au fond de moi j'acquiesçais, m'y résignant, lui donnant mon assentiment. Comme si je savais depuis toujours qu'il reviendrait. Comme si une voix intérieure, malgré le bonheur de ma nouvelle vie avec Marie et Agustín, m'y préparait depuis le début.

J'ai ouvert en me composant un visage accueillant, le visage que j'avais prévu depuis le début de lui offrir lorsqu'il reparaîtrait. C'était le voisin, contraint de s'absenter de nuit pour une urgence, qui demandait s'il pouvait nous confier son fils endormi.

Encore maintenant je me demande ce qui arrivera si l'autostoppeur revient.

J'ai écouté cent fois, mille fois peut-être la chanson

Famous Blue Raincoat de Leonard Cohen, sa chanson la plus triste, la plus belle, en forme de lettre écrite au milieu de la nuit, fin décembre, à un ancien ami. Il est 4 heures du matin à New York, la ville dort alentour et Cohen demande à l'ancien ami des nouvelles. Veut savoir s'il va bien. Il lui dit qu'il repense à la nuit où Jane et lui ont failli partir ensemble. Il l'appelle son bourreau, son frère. Il lui dit qu'il lui pardonne. Il le remercie pour ce que Jane et lui ont vécu. Et il lui fait cette déclaration dont je ne pense pas que beaucoup de longs poèmes l'égalent en beauté, en justesse, en conscience de l'impermanence des choses en ce bas monde : Je suis heureux que tu te sois trouvé sur ma route. Parole de voyageur. Parole d'habitué des routes, des carrefours, des rencontres. Parole de vrai amoureux de la vie, reconnaissant aux surprises qu'elle réserve.

J'écoute Cohen et je pense à l'autostoppeur. Je me demande où il vit. S'il est seul. S'il est heureux.

Je me jure que s'il revient j'aurai la même élégance. Dans la chanson de Cohen la guitare est calme, les mots sont simples. Certains biographes disent que l'ami au fameux manteau bleu existe, qu'il a vraiment eu une histoire d'amour avec Jane. D'autres pensent qu'il n'est qu'un double de Cohen, une figure de sa jeunesse, de ses années de vagabond. Que du début à la fin le chanteur ne s'adresse qu'à lui-même. À l'homme qu'il n'est plus et qu'il revoit avec un mélange de tendresse et de défi. Ceux-là disent que l'homme au manteau bleu et Cohen n'ont jamais fait qu'un.

45

Et puis il y a deux semaines m'est arrivé ce mail, envoyé d'une messagerie inconnue. Chères amies, chers amis, J'espère que vous passez un bel été. Vous m'avez tous, au cours de ces dernières années, pris au moins une fois à votre bord. Nous avons passé ensemble un moment, parfois quelques minutes à peine, parfois plusieurs heures, plusieurs jours pour certains, qui sont devenus des amis. J'ai vos portraits à tous dans un tiroir. Vos visages sont habitués à s'y côtoyer. Vous êtes, pour moi, comme une deuxième famille : la famille des automobilistes qui, un jour, m'ont aidé. Vous habitez un peu partout en France, en Lorraine, en Provence, en Bretagne, dans les Landes, en région parisienne, en Auvergne. J'ai depuis longtemps ce rêve : vous faire vous rencontrer. J'ai trouvé un point de rendez-vous idéal : le petit village de Camarade, dans l'Ariège. Je vous propose d'y venir ce week-end. Il fera beau. Prenez vos tentes, vos duvets, vos pulls, vos imperméables s'il pleut. Venez en stop, en camion, en camping-car, en citadine, en routière, en décapotable, en scooter, à pied, à vélo, comme vous voudrez. Apportez à boire et à manger. Et nous verrons bien ce qui arrivera. Non ?

J'ai immédiatement cliqué sur l'onglet Répondre à l'expéditeur, tapé très vite quelques lignes, comme si chaque instant comptait, comme si je devinais que ce lien ténu ne tarderait pas à se rompre. J'ai demandé à l'autostoppeur où il était, comment il allait, à quel numéro je pouvais le joindre. Je lui ai dit que nous pensions à lui.

Mon mail m'est revenu avec un message d'erreur.

J'ai relu son message à lui. Relu l'adresse d'où avait été expédiée cette invitation : weekendacamarade@no-log.org. J'ai cliqué sur la fenêtre des adresses en copie, pour voir le nombre de destinataires. J'ai vu s'afficher des centaines de noms.

Sacha, a dit Marie au même moment, de son bureau à l'étage.

Tu as eu son mail toi aussi.

On ne peut pas y répondre. L'adresse ne marche déjà plus.

Je sais.

Le samedi aux aurores nous sommes montés tous les trois en voiture.

Le jour s'est levé alors que nous passions à hauteur de Narbonne.

Nous avons regardé les premiers rayons scintiller sur l'étang de Leucate. Plissé un peu nos yeux mal dessillés encore pour atténuer l'éblouissement du soleil levant sur toute cette eau. J'ai pensé ce que j'avais déjà pensé en arrivant à Orion, l'année précédente : si je suis là c'est grâce à lui. Si nous sommes tous les trois de bon matin en voiture à contempler cette splendeur, c'est parce qu'il nous y a poussés.

Nous avons passé Carcassonne, quitté l'autoroute à Bram pour piquer vers les Pyrénées. Agustín à l'arrière s'est endormi. Les champs de maïs étaient hauts à présent, on devinait le grain jaune sous la barbe des épis ébouriffés, c'était le mois d'août, de bon matin le soleil brûlait, les asperseurs tournoyaient au-dessus des champs depuis des semaines exténués.

Nous nous sommes engagés sur une minuscule départementale. Avons retrouvé la fraîcheur des arbres, l'odeur d'humus des sous-bois, l'ombre des châtaigniers et des grands chênes blancs. Passé Le Mas-d'Azil la route s'est encore resserrée, nous n'avons plus croisé le moindre village, plus rencontré d'autre vie que celle de rares vaches comme oubliées là en pleine nature.

À un carrefour enfin nous avons vu le nom sur un panneau : Camarade, 1 km. Le village est apparu, perché sur le mamelon d'en face : quelques toits de tuiles tout au plus, groupés autour d'un clocher qui surnageait à peine des arbres. Nous sommes entrés sous le couvert de châtaigniers et de noyers, avons vu le chemin se resserrer encore, la voûte des branches s'abaisser comme si c'était la dernière défense à vaincre : une forêt non plus de ronces comme dans les contes, mais simplement de chlorophylle, de feuilles, de sève.

Nous n'avons pas pu atteindre le haut du mamelon. Très vite nous avons trouvé une voiture garée sur le bas-côté, immatriculée 83. Puis une autre, juste devant, immatriculée 20. Puis des dizaines d'autres, venues de départements tous différents, l'Ille-et-Vilaine, l'Essonne, les Hauts-de-Seine, le Jura, le Nord, l'Ardèche, le Gard, la Sarthe – véhicules de toutes tailles et de tous âges parqués sur le bord de la route en une longue file ininterrompue. Un combi venu de Lozère. Une kangoo du Puy-de-Dôme. Une famille au complet venue de la Loire-Atlantique en monospace. Nous nous sommes garés, Agustín a sauté à la rencontre de deux gamins descendus d'un camping-car des Alpes-Maritimes.

En haut une centaine de gens étaient déjà là, s'observaient, s'accueillaient. Il y en avait de tous âges, de tous milieux, de tous looks vestimentaires. Des hommes. Des femmes. Des enfants. Des manifestement riches. Des manifestement modestes. On sentait certains arrivés depuis un moment, tenue estivale, tee-shirt léger, sandales, verre ou cannette de bière à la main. D'autres au contraire tout juste débarqués, comme nous encore encombrés d'affaires, lestés de sacs de couchage, de saladiers, de bouteilles, de glacières. Ils allaient timidement vers les plus aguerris, les saluaient, demandaient où poser les cabas de victuailles. Des nappes étaient dépliées dans l'herbe. Un feu annonçait des grillades. Le village était minuscule. Une rue. Une dizaine de maisons au plus, certaines abandonnées. Devant l'entrée d'une ou deux bâtisses seulement, on voyait des fleurs arrosées, des jouets d'enfants déballés, un vélo, du linge. J'ai regardé Marie. Elle était comme moi. Perdue. Grisée. J'ai cherché du regard Agustín. Je l'ai trouvé, planqué dans un coin avec les deux gamins rencontrés un peu plus tôt, à broyer tous les trois des cailloux sous un mûrier platane. À les écraser sous une pierre énorme qu'ils soulevaient à trois, avant de la laisser chaque fois retomber à deux doigts de leurs orteils, morts de rire. J'ai marché jusqu'à la modeste plaque qui faisait office de monument aux morts. J'ai lu six noms. In memoriam Chaubet André, Fajardo Alberto, Géraud Jean, Gros Jean-Marie, Sigler Moïse, Thévenain Roger, morts pour la France. Six morts pour un village qui n'avait jamais dû compter beaucoup plus de vingt habitants. Une proportion de sacrifiés record.

Je suis resté à regarder les visages alentour. À m'amuser de lire sur tous le même air vaguement euphorique, la même vague stupéfaction d'être là, simplement là, venus jusqu'ici sur le même coup de tête. La même incrédulité de *l'avoir fait*, d'avoir tous pareillement pris au mot l'invitation lancée à la cantonade par un type ramassé un jour sur le bord d'un chemin. D'avoir tout plaqué le temps d'un week-end et fait des centaines de kilomètres à cette seule fin : se rendre disponibles à ça.

J'ai pensé que je les connaissais presque tous. Qu'il n'en était aucun ni aucune, ou presque, que je n'aie vu au moins une fois, sur l'un ou l'autre des polaroids pris par l'autostoppeur.

À ce moment une jeune fille d'une trentaine d'années est venue serrer la main de Marie.

Bonjour je me présente : Julie. J'habite ici avec mon compagnon Nicolas.

Sa voix était énergique, accueillante.

On n'était pas prévenus mais c'est très bien, on nous a raconté pourquoi vous êtes là, soyez les bienvenus. On essaie simplement d'organiser un minimum les choses.

Nous l'avons suivie à travers le village, avons passé de vieilles granges à demi effondrées, deux ou trois carcasses de tracteurs. Nous sommes arrivés au petit cimetière bâti au-dessus du village. Avons continué de monter jusqu'à un pré. Là l'herbe était grasse, moelleuse, accueillante. Une cinquantaine de tentes trônaient déjà. Agustín a sorti la nôtre, nous a aidés Marie et moi à la monter en quelques minutes. Nous avons enfoncé les sardines dans le sol mou. Tendu les cordes pour que les parois de nylon offrent moins de prise à l'humidité.

Il va venir papa, a demandé Agustín.

Marie a voulu lui faire une caresse avant de répondre. Il s'est dégagé. N'a plus rien demandé. S'est contenté de redévaler la pente pour aller retrouver ses nouveaux amis.

En redescendant nous sommes tombés sur un couple un peu âgé que j'ai reconnu de loin : Josiane et Robert, dont le camping-car s'était garé à l'improviste devant chez nous, un an plus tôt, à V.

On espérait bien vous retrouver, a dit Josiane en nous embrassant. Et Agustín.

J'ai montré l'esplanade en contrebas.

Il a rencontré des copains.

On a fait de nouveaux aménagements dans le camion, a ri Robert. Il va adorer.

Le week-end est passé vite. Trop vite. L'autostoppeur n'est pas venu. Au début, comme les autres, je l'ai cherché. J'ai guetté chaque nouvel arrivant. Et puis j'ai compris qu'il ne viendrait pas. J'ai regardé la foule d'inconnus qui ne l'étaient déjà plus tout à fait les uns pour les autres. Les centaines de visages étonnés, heureux, passé outre l'étonnement et la timidité à présent, simplement affairés à bavarder, s'amuser, profiter. J'ai regardé tous ces hommes et ces femmes liés par lui et d'un coup je l'ai su, comme une évidence : bien sûr que non, il ne viendrait pas. Bien sûr que non il n'aurait pas un seul instant envie d'un tel acte – venir se remettre au centre.

J'ai cessé de l'attendre. Je me suis laissé aller à la fête, simplement.

L'après-midi Nicolas et Julie nous ont tous emmenés nous baigner à la rivière, à une heure de marche de là. La colonne s'est ébranlée, mêlant vieux et jeunes, chevelus et chauves, bronzés et pâlichons, sportifs et fainéants, vêtus et dévêtus. Nous avons marché une heure, sommes arrivés au bord de l'eau verte, minérale, glacée. Agustín s'est agrippé à mon dos. Je suis entré dans le courant jusqu'aux genoux, puis jusqu'à la taille. Alors je me suis laissé glisser, emportant Agustín avec moi. Il a crié. Ensemble nous avons crawlé jusqu'à un gros rocher, pris pied dessus, poussé un hourra en nous dressant au sommet. J'ai regardé Marie se dévêtir à son tour, ne garder que sa culotte, plonger pour nous rejoindre, ses petits seins adorablement blancs parmi les arbres et les rochers. Elle a nagé jusqu'à nous à brasses rapides, cheveux ruisselants, un grand sourire au visage, lumineuse, vive. S'est mise debout à côté de nous sur le rocher, tout contre moi. Fraîche. Ferme. Formidablement belle.

Le soir il y a eu des grillades, des parties de pétanque et de badminton, des chansons. Agustín a sorti le jeu d'échecs, bataillé pendant une bonne heure avec Géraldine, une amie de Julie, tout cela près du feu, sous notre regard, à demi rôtis tous ensemble par les braises. Une fille s'est mise à jouer du banjo. Elle nous a dit qu'elle s'appelait Jessica, qu'elle venait du nord du Canada, qu'elle avait pris l'autostoppeur à bord d'une petite voiture de location, un jour de juillet, du côté des châteaux de la Loire. J'ai senti que Marie l'observait, qu'elle se demandait comme moi si quelque chose s'était passé entre eux. Puis qu'elle balayait comme moi cette question du revers de la main. Décidait que ce genre de questions n'avait plus la moindre importance. N'aurait peut-être jamais dû en avoir.

La nuit est descendue, la température a chuté. Nous n'avons plus voulu nous éloigner du feu.

Tenez, des couvertures, a dit Julie en passant parmi les silhouettes restées là.

Agustín s'est endormi sur mes genoux. Marie s'est serrée contre moi. Je me suis allongé. J'ai vu les étoiles innombrables se déplacer lentement au-dessus de nous. Certaines disparaître peu à peu derrière les arbres. D'autres surgir à l'autre bout du ciel.

Ça y est on voit les Pléiades, a dit quelqu'un près de moi. J'ai reconnu la voix de Géraldine, allongée près de Julie. J'ai fouillé le bout de ciel noir qu'elle indiquait. J'ai reconnu le petit amas d'étoiles groupées que m'avait déjà montré Souad, la fameuse nuit où elle nous avait offert à dîner.

Et ça c'est quoi, a demandé Géraldine en montrant trois points lumineux, juste à côté.

Ça c'est Orion, a répondu Julie. La ceinture d'Orion. Et son torse, juste au-dessus. Le fin croissant de son arc. Bientôt on verra aussi ses jambes. L'hiver il est là dès 10 heures du soir. Mais l'été il faut attendre.

J'ai cherché les points lumineux qu'elle indiquait. Je les ai trouvés.

Nous avons attendu. Regardé les dernières étoiles d'Orion monter une à une de derrière les arbres. Alors la silhouette du géant m'est apparue. Embrassant tout le ciel. Rassemblant les étoiles qui jusque-là m'avaient paru semées au hasard.

Ça y est on le voit. C'est rare qu'on le voie si bien.

J'ai pensé à nous, réunis là le temps d'un week-end. Venus contre toute probabilité nous rassembler là, au sommet de ces collines égarées. Il m'a semblé fou que partout des hommes et des femmes vivent. Que partout des feux les rassemblent. Que partout ils soient sous le ciel à lire dans les étoiles, à chercher Orion, à le trouver au-dessus d'eux.

J'ai pensé à l'autostoppeur. À ses bras eux aussi capables de nous tenir, à leur façon. De nous enserrer, même à distance. Je me suis demandé où il était. Parti se perdre dans quelle immensité.

DU MÊME AUTEUR

Aux Éditions Gallimard

LÀ, AVAIT DIT BAHI, collection «L'Arbalète», 2012. Prix Louis-Guilloux 2012.

LES GRANDS, collection «L'Arbalète», 2014. «Folio» n° 6177. Prix littéraire Georges-Brassens 2014. Prix littéraire de la Porte Dorée 2015.

LÉGENDE, collection «L'Arbalète», 2016. «Folio» n° 6454. Prix Révélation de la Société des gens de lettres 2016. Prix François-Billetdoux 2017.

L'AFFAIRE FURTIF (1re éd. Burozoïque, 2010), collection «L'Arbalète», 2018.

Chez d'autres éditeurs

LES MATINÉES D'HERCULE, Serpent à plumes, 2007.

AFRICAINE QUEEN, Le Tigre, 2010.

TANGANYIKA PROJECT, Léo Scheer, 2010.

LA VIE DANS LES ARBRES, *suivi de* SUR LES BIDONVILLES, LES CABANES ET LA CONSTRUCTION SAUVAGE, Le Tigre, 2011.

Traductions

PANCHO VILLA, John Reed, Allia, 2009.

DÉCOLONISER L'ESPRIT, Ngugi wa Thiong'o, La fabrique, 2011.

Composition : Entrelignes (64)
Achevé d'imprimer par Normandie Roto Impression s.a.s., à Lonrai
En novembre 2019.
Dépôt légal : novembre 2019.
Premier dépôt légal : juin 2019.
Numéro d'imprimeur : 1905384.
ISBN 978-2-07-274038-1 / Imprimé en France.

365278